CHINESE NAMES, SURNAMES, LOCATIONS & ADDRESSES

中国大陆地址集

CW01091568

SHANXI PROVINCE - PART 6

山西省

ZIYUE TANG

汤子玥

ACKNOWLEDGEMENT

I am deeply indebted to my friends and family members to support me throughout my life. Without their invaluable love and guidance, this work wouldn't have been possible.

Thank you

Ziyue Tang

汤子玥

PREFACE

The book introduces foreigner students to the Chinese names along with locations and addresses from the **Shanxi** Province of China (中国山西省). The book contains 150 entries (names, addresses) explained with simplified Chinese characters, pinyin and English.

Chinese names follow the standard convention where the given name is written after the surname. For example, in 王威 (Wang Wei), Wang is the surname, and Wei is the given name. Further, the surnames are generally made of one (王) or two characters (司马). Similarly, the given names are also made of either one or two characters. For example, 司马威 (Sima Wei) is a three character Chinese name suitable for men. 司马威威 is a four character Chinese name.

Chinese addresses are comprised of different administrative units that start with the largest geographic entity (country) and continue to the smallest entity (county, building names, room number). For example, a typical address in Nanjing city (capital of Jiangsu province) would look like 江苏省南京市清华路 28 栋 520 室 (Jiāngsū shěng nánjīng shì qīnghuá lù 28 dòng 520 shì; Room 520, Building 28, Qinghua Road, Nanjing City, Jiangsu Province).

All rights reserved.

©2024 Ziyue Tang.

CONTENTS

751。姓名: 沈可南

住址（公园）：山西省长治市潞城区员维路 520 号鸣辙公园（邮政编码：985879）。联系电话：44466780。电子邮箱：alzvx@jsiacbep.parks.cn

Zhù zhǐ: Shěn Kě Nán Shānxī Shěng Chángzhì Shì Lù Chéngqū Yuán Wéi Lù 520 Hào Míng Zhé Gōng Yuán (Yóuzhèng Biānmǎ: 985879). Liánxì Diànhuà：44466780. Diànzǐ Yóuxiāng：alzvx@jsiacbep.parks.cn

Ke Nan Shen, Ming Zhe Park, 520 Yuan Wei Road, Lucheng District, Changzhi, Shanxi. Postal Code: 985879. Phone Number：44466780. E-mail：alzvx@jsiacbep.parks.cn

752。姓名: 羿钢懂

住址（公园）：山西省长治市潞城区智化路 815 号院葆公园（邮政编码：230474）。联系电话：13603621。电子邮箱：iskxp@lnypudah.parks.cn

Zhù zhǐ: Yì Gāng Dǒng Shānxī Shěng Chángzhì Shì Lù Chéngqū Zhì Huā Lù 815 Hào Yuàn Bǎo Gōng Yuán (Yóuzhèng Biānmǎ: 230474). Liánxì Diànhuà：13603621. Diànzǐ Yóuxiāng：iskxp@lnypudah.parks.cn

Gang Dong Yi, Yuan Bao Park, 815 Zhi Hua Road, Lucheng District, Changzhi, Shanxi. Postal Code: 230474. Phone Number：13603621. E-mail：iskxp@lnypudah.parks.cn

753。姓名: 魏强领

住址（公共汽车站）：山西省吕梁市汾阳市澜威路 169 号胜铭站（邮政编码：981635）。联系电话：83813358。电子邮箱：qtfep@ljfomvuq.transport.cn

Zhù zhǐ: Wèi Qiǎng Lǐng Shānxī Shěng Lǚliáng Shì Fén Yáng Shì Lán Wēi Lù 169 Hào Shēng Míng Zhàn （Yóuzhèng Biānmǎ：981635). Liánxì Diànhuà：83813358. Diànzǐ Yóuxiāng：qtfep@ljfomvuq.transport.cn

Qiang Ling Wei, Sheng Ming Bus Station, 169 Lan Wei Road, Fenyang City, Luliang, Shanxi. Postal Code: 981635. Phone Number：83813358. E-mail：qtfep@ljfomvuq.transport.cn

754。姓名: 禄郁屹

住址（火车站）：山西省朔州市平鲁区腾王路 741 号朔州站（邮政编码：277885）。联系电话：44029391。电子邮箱：pgsdq@tenlovam.chr.cn

Zhù zhǐ: Lù Yù Yì Shānxī Shěng Shuò Zhōu Shì Píng Lǔ Qū Téng Wáng Lù 741 Hào uò Zōu Zhàn （Yóuzhèng Biānmǎ：277885). Liánxì Diànhuà：44029391. Diànzǐ Yóuxiāng：pgsdq@tenlovam.chr.cn

Yu Yi Lu, Shuozhou Railway Station, 741 Teng Wang Road, Pinglu District, Shuozhou, Shanxi. Postal Code: 277885. Phone Number：44029391. E-mail：pgsdq@tenlovam.chr.cn

755。姓名: 哈启守

住址（湖泊）：山西省大同市广灵县己来路 799 号盛恩湖（邮政编码：125953）。联系电话：61752006。电子邮箱：pdeun@afrnqupg.lakes.cn

Zhù zhǐ: Hǎ Qǐ Shǒu Shānxī Shěng Dàtóng Shì Guǎng Líng Xiàn Jǐ Lái Lù 799 Hào Chéng Ēn Hú （Yóuzhèng Biānmǎ：125953). Liánxì Diànhuà：61752006. Diànzǐ Yóuxiāng：pdeun@afrnqupg.lakes.cn

Qi Shou Ha, Cheng En Lake, 799 Ji Lai Road, Guangling County, Datong, Shanxi. Postal Code: 125953. Phone Number：61752006. E-mail：pdeun@afrnqupg.lakes.cn

756。姓名: 成岐钢

住址（广场）：山西省忻州市河曲县歧屹路 497 号楚队广场（邮政编码：564867）。联系电话：49338614。电子邮箱：xnseu@wghucard.squares.cn

Zhù zhǐ: Chéng Qí Gāng Shānxī Shěng Xīnzhōu Shì Héqū Xiàn Qí Yì Lù 497 Hào Chǔ Duì Guǎng Chǎng（Yóuzhèng Biānmǎ：564867). Liánxì Diànhuà：49338614. Diànzǐ Yóuxiāng：xnseu@wghucard.squares.cn

Qi Gang Cheng, Chu Dui Square, 497 Qi Yi Road, Hequ County, Xinzhou, Shanxi. Postal Code: 564867. Phone Number：49338614. E-mail：xnseu@wghucard.squares.cn

757。姓名: 汤汉胜

住址（公园）：山西省长治市潞州区咚世路 441 号甫坡公园（邮政编码：457165）。联系电话：25502145。电子邮箱：uxkvp@mfiwdjyg.parks.cn

Zhù zhǐ: Tāng Hàn Shēng Shānxī Shěng Chángzhì Shì Lù Zhōu Qū Dōng Shì Lù 441 Hào Fǔ Pō Gōng Yuán（Yóuzhèng Biānmǎ：457165). Liánxì Diànhuà：25502145. Diànzǐ Yóuxiāng：uxkvp@mfiwdjyg.parks.cn

Han Sheng Tang, Fu Po Park, 441 Dong Shi Road, Luzhou District, Changzhi, Shanxi. Postal Code: 457165. Phone Number：25502145. E-mail：uxkvp@mfiwdjyg.parks.cn

758。姓名: 查光立

住址（公园）：山西省运城市新绛县其舟路 266 号易甫公园（邮政编码：929838）。联系电话：95201826。电子邮箱：svzkd@tusnclzv.parks.cn

Zhù zhǐ: Zhā Guāng Lì Shānxī Shěng Yùn Chéng Shì Xīn Jiàng Xiàn Qí Zhōu Lù 266 Hào Yì Fǔ Gōng Yuán（Yóuzhèng Biānmǎ：929838). Liánxì Diànhuà：95201826. Diànzǐ Yóuxiāng：svzkd@tusnclzv.parks.cn

Guang Li Zha, Yi Fu Park, 266 Qi Zhou Road, Xinjiang County, Yuncheng, Shanxi. Postal Code: 929838. Phone Number：95201826. E-mail：svzkd@tusnclzv.parks.cn

759。姓名: 漆雕惟龙

住址（公共汽车站）：山西省吕梁市方山县仲斌路 930 号友涛站（邮政编码：707504）。联系电话：67110797。电子邮箱：tlixm@ketmusjn.transport.cn

Zhù zhǐ: Qīdiāo Wéi Lóng Shānxī Shěng Lǚliáng Shì Fāng Shān Xiàn Zhòng Bīn Lù 930 Hào Yǒu Tāo Zhàn (Yóuzhèng Biānmǎ：707504). Liánxì Diànhuà：67110797. Diànzǐ Yóuxiāng：tlixm@ketmusjn.transport.cn

Wei Long Qidiao, You Tao Bus Station, 930 Zhong Bin Road, Fangshan County, Luliang, Shanxi. Postal Code: 707504. Phone Number：67110797. E-mail：tlixm@ketmusjn.transport.cn

760。姓名: 钦炯辉

住址（公司）：山西省运城市稷山县桥可路 900 号发乙有限公司（邮政编码：517674）。联系电话：25067469。电子邮箱：uvdsa@stvcjxbm.biz.cn

Zhù zhǐ: Qīn Jiǒng Huī Shānxī Shěng Yùn Chéng Shì Jì Shān Xiàn Qiáo Kě Lù 900 Hào Fā Yǐ Yǒuxiàn Gōngsī (Yóuzhèng Biānmǎ：517674). Liánxì Diànhuà：25067469. Diànzǐ Yóuxiāng：uvdsa@stvcjxbm.biz.cn

Jiong Hui Qin, Fa Yi Corporation, 900 Qiao Ke Road, Jishan County, Yuncheng, Shanxi. Postal Code: 517674. Phone Number：25067469. E-mail：uvdsa@stvcjxbm.biz.cn

761。姓名: 古福浩

住址（大学）：山西省太原市万柏林区启山大学易译路 983 号（邮政编码：942869）。联系电话：89385339。电子邮箱：jfcdt@znelmkhj.edu.cn

Zhù zhǐ: Gǔ Fú Hào Shānxī Shěng Tàiyuán Shì Wàn Bólín Qū Qǐ Shān DàxuéYì Yì Lù 983 Hào (Yóuzhèng Biānmǎ：942869). Liánxì Diànhuà：89385339. Diànzǐ Yóuxiāng：jfcdt@znelmkhj.edu.cn

Fu Hao Gu, Qi Shan University, 983 Yi Yi Road, Wan Bolin District, Taiyuan, Shanxi. Postal Code: 942869. Phone Number：89385339. E-mail：jfcdt@znelmkhj.edu.cn

762。姓名: 单坤岐

住址（机场）：山西省临汾市乡宁县勇钢路 273 号临汾澜队国际机场（邮政编码：922398）。联系电话：37792423。电子邮箱：pmzdo@xufbjaqt.airports.cn

Zhù zhǐ: Shàn Kūn Qí Shānxī Shěng Línfén Shì Xiāng Níngxiàn Yǒng Gāng Lù 273 Hào Línfén Lán Duì Guó Jì Jī Chǎng （Yóuzhèng Biānmǎ：922398). Liánxì Diànhuà：37792423. Diànzǐ Yóuxiāng：pmzdo@xufbjaqt.airports.cn

Kun Qi Shan, Linfen Lan Dui International Airport, 273 Yong Gang Road, Xiangning County, Linfen, Shanxi. Postal Code: 922398. Phone Number：37792423. E-mail：pmzdo@xufbjaqt.airports.cn

763。姓名: 乔队冠

住址（公司）：山西省大同市广灵县轼德路 991 号风员有限公司（邮政编码：431419）。联系电话：51930492。电子邮箱：ztadq@pfotbjrk.biz.cn

Zhù zhǐ: Qiáo Duì Guàn Shānxī Shěng Dàtóng Shì Guǎng Líng Xiàn Shì Dé Lù 991 Hào Fēng Yún Yǒuxiàn Gōngsī （Yóuzhèng Biānmǎ：431419). Liánxì Diànhuà：51930492. Diànzǐ Yóuxiāng：ztadq@pfotbjrk.biz.cn

Dui Guan Qiao, Feng Yun Corporation, 991 Shi De Road, Guangling County, Datong, Shanxi. Postal Code: 431419. Phone Number：51930492. E-mail：ztadq@pfotbjrk.biz.cn

764。姓名: 萧土星

住址（家庭）：山西省晋中市寿阳县钢大路 391 号大智公寓 21 层 753 室（邮政编码：449031）。联系电话：80206941。电子邮箱：sczat@kcbnhare.cn

Zhù zhǐ: Xiāo Tǔ Xīng Shānxī Shěng Jìn Zhōng Shì Shòu Yáng Xiàn Gāng Dài Lù 391 Hào Dài Zhì Gōng Yù 21 Céng 753 Shì (Yóuzhèng Biānmǎ：449031). Liánxì Diànhuà：80206941. Diànzǐ Yóuxiāng：sczat@kcbnhare.cn

Tu Xing Xiao, Room# 753, Floor# 21, Dai Zhi Apartment, 391 Gang Dai Road, Shouyang County, Jinzhong, Shanxi. Postal Code: 449031. Phone Number：80206941. E-mail：sczat@kcbnhare.cn

765。姓名: 侯迅可

住址（寺庙）：山西省吕梁市汾阳市尚食路 865 号屹歧寺（邮政编码：246071）。联系电话：13829927。电子邮箱：ubrdo@zryibwja.god.cn

Zhù zhǐ: Hóu Xùn Kě Shānxī Shěng Lǚliáng Shì Fén Yáng Shì Shàng Shí Lù 865 Hào Yì Qí Sì (Yóuzhèng Biānmǎ：246071). Liánxì Diànhuà：13829927. Diànzǐ Yóuxiāng：ubrdo@zryibwja.god.cn

Xun Ke Hou, Yi Qi Temple, 865 Shang Shi Road, Fenyang City, Luliang, Shanxi. Postal Code: 246071. Phone Number：13829927. E-mail：ubrdo@zryibwja.god.cn

766。姓名: 上官焯易

住址（大学）：山西省长治市襄垣县陶己大学轶波路 974 号（邮政编码：391289）。联系电话：97087521。电子邮箱：itgqy@oqnmwbyu.edu.cn

Zhù zhǐ: Shàngguān Zhuō Yì Shānxī Shěng Chángzhì Shì Xiāngyuán Xiàn Táo Jǐ DàxuéYì Bō Lù 974 Hào (Yóuzhèng Biānmǎ：391289). Liánxì Diànhuà：97087521. Diànzǐ Yóuxiāng：itgqy@oqnmwbyu.edu.cn

Zhuo Yi Shangguan, Tao Ji University, 974 Yi Bo Road, Xiangyuan County, Changzhi, Shanxi. Postal Code: 391289. Phone Number：97087521. E-mail：itgqy@oqnmwbyu.edu.cn

767。姓名: 佴九坚

住址（公园）：山西省运城市稷山县磊成路 113 号自德公园（邮政编码：312138）。联系电话：48320996。电子邮箱：dgfzo@oitguysj.parks.cn

Zhù zhǐ: Nài Jiǔ Jiān Shānxī Shěng Yùn Chéng Shì Jì Shān Xiàn Lěi Chéng Lù 113 Hào Zì Dé Gōng Yuán（Yóuzhèng Biānmǎ：312138). Liánxì Diànhuà：48320996. Diànzǐ Yóuxiāng：dgfzo@oitguysj.parks.cn

Jiu Jian Nai, Zi De Park, 113 Lei Cheng Road, Jishan County, Yuncheng, Shanxi. Postal Code: 312138. Phone Number：48320996. E-mail：dgfzo@oitguysj.parks.cn

768。姓名: 后世中

住址（酒店）：山西省忻州市岢岚县福跃路 642 号亮勇酒店（邮政编码：383659）。联系电话：13998719。电子邮箱：qznyd@eqmzbjwl.biz.cn

Zhù zhǐ: Hòu Shì Zhòng Shānxī Shěng Xīnzhōu Shì Kě Lán Xiàn Fú Yuè Lù 642 Hào Liàng Yǒng Jiǔ Diàn（Yóuzhèng Biānmǎ：383659). Liánxì Diànhuà：13998719. Diànzǐ Yóuxiāng：qznyd@eqmzbjwl.biz.cn

Shi Zhong Hou, Liang Yong Hotel, 642 Fu Yue Road, Kelan County, Xinzhou, Shanxi. Postal Code: 383659. Phone Number：13998719. E-mail：qznyd@eqmzbjwl.biz.cn

769。姓名: 张敬锤

住址（公司）：山西省大同市云冈区胜人路 956 号科鹤有限公司（邮政编码：995964）。联系电话：62206781。电子邮箱：gjrwy@cgipazwq.biz.cn

Zhù zhǐ: Zhāng Jìng Chuí Shānxī Shěng Dàtóng Shì Yún Gāng Qū Shēng Rén Lù 956 Hào Kē Hè Yǒuxiàn Gōngsī（Yóuzhèng Biānmǎ：995964). Liánxì Diànhuà：62206781. Diànzǐ Yóuxiāng：gjrwy@cgipazwq.biz.cn

Jing Chui Zhang, Ke He Corporation, 956 Sheng Ren Road, Yungang District, Datong, Shanxi. Postal Code: 995964. Phone Number：62206781. E-mail：gjrwy@cgipazwq.biz.cn

770。姓名: 卓金熔

住址（酒店）：山西省晋中市昔阳县陆禹路 346 号焯征酒店（邮政编码：348875）。联系电话：44663166。电子邮箱：qvazy@ahzsycwj.biz.cn

Zhù zhǐ: Zhuó Jīn Róng Shānxī Shěng Jìn Zhōng Shì Xī Yáng Xiàn Lù Yǔ Lù 346 Hào Zhuō Zhēng Jiǔ Diàn (Yóuzhèng Biānmǎ：348875). Liánxì Diànhuà：44663166. Diànzǐ Yóuxiāng：qvazy@ahzsycwj.biz.cn

Jin Rong Zhuo, Zhuo Zheng Hotel, 346 Lu Yu Road, Xiyang County, Jinzhong, Shanxi. Postal Code: 348875. Phone Number：44663166. E-mail：qvazy@ahzsycwj.biz.cn

771。姓名: 终盛稼

住址（大学）：山西省朔州市山阴县冕隆大学隆禹路 229 号（邮政编码：530278）。联系电话：97712841。电子邮箱：gofsy@pavnisue.edu.cn

Zhù zhǐ: Zhōng Shèng Jià Shānxī Shěng Shuò Zhōu Shì Shān Yīn Xiàn Miǎn Lóng DàxuéLóng Yǔ Lù 229 Hào (Yóuzhèng Biānmǎ：530278). Liánxì Diànhuà：97712841. Diànzǐ Yóuxiāng：gofsy@pavnisue.edu.cn

Sheng Jia Zhong, Mian Long University, 229 Long Yu Road, Sanyin County, Shuozhou, Shanxi. Postal Code: 530278. Phone Number：97712841. E-mail：gofsy@pavnisue.edu.cn

772。姓名: 戚亮尚

住址（酒店）：山西省临汾市霍州市征葛路 506 号德洵酒店（邮政编码：835470）。联系电话：73815301。电子邮箱：pydqb@pcrlzvnb.biz.cn

Zhù zhǐ: Qī Liàng Shàng Shānxī Shěng Línfén Shì Huò Zhōu Shì Zhēng Gé Lù 506 Hào Dé Xún Jiǔ Diàn (Yóuzhèng Biānmǎ：835470). Liánxì Diànhuà：73815301. Diànzǐ Yóuxiāng：pydqb@pcrlzvnb.biz.cn

Liang Shang Qi, De Xun Hotel, 506 Zheng Ge Road, Huozhou, Linfen, Shanxi. Postal Code: 835470. Phone Number：73815301. E-mail：pydqb@pcrlzvnb.biz.cn

773。姓名: 束水居

住址（医院）：山西省阳泉市盂县王人路 919 号焯光医院（邮政编码：270132）。联系电话：14318387。电子邮箱：awqzl@opilemng.health.cn

Zhù zhǐ: Shù Shuǐ Jū Shānxī Shěng Yángquán Shì Yú Xiàn Wáng Rén Lù 919 Hào Chāo Guāng Yī Yuàn（Yóuzhèng Biānmǎ：270132). Liánxì Diànhuà：14318387. Diànzǐ Yóuxiāng：awqzl@opilemng.health.cn

Shui Ju Shu, Chao Guang Hospital, 919 Wang Ren Road, Yu County, Yangquan, Shanxi. Postal Code: 270132. Phone Number：14318387. E-mail：awqzl@opilemng.health.cn

774。姓名: 令狐胜惟

住址（公司）：山西省运城市芮城县进葛路 805 号际熔有限公司（邮政编码：704652）。联系电话：34881718。电子邮箱：uzkps@fsterpok.biz.cn

Zhù zhǐ: Lìnghú Shēng Wéi Shānxī Shěng Yùn Chéng Shì Ruì Chéng Xiàn Jìn Gé Lù 805 Hào Jì Róng Yǒuxiàn Gōngsī（Yóuzhèng Biānmǎ：704652). Liánxì Diànhuà：34881718. Diànzǐ Yóuxiāng：uzkps@fsterpok.biz.cn

Sheng Wei Linghu, Ji Rong Corporation, 805 Jin Ge Road, Ruicheng County, Yuncheng, Shanxi. Postal Code: 704652. Phone Number：34881718. E-mail：uzkps@fsterpok.biz.cn

775。姓名: 宁国勇

住址（公共汽车站）：山西省长治市黎城县威冠路 686 号秀化站（邮政编码：337315）。联系电话：14112390。电子邮箱：rsdhv@oakwiudt.transport.cn

Zhù zhǐ: Nìng Guó Yǒng Shānxī Shěng Chángzhì Shì Lí Chéng Xiàn Wēi Guàn Lù 686 Hào Xiù Huā Zhàn (Yóuzhèng Biānmǎ：337315). Liánxì Diànhuà：14112390. Diànzǐ Yóuxiāng：rsdhv@oakwiudt.transport.cn

Guo Yong Ning, Xiu Hua Bus Station, 686 Wei Guan Road, Licheng County, Changzhi, Shanxi. Postal Code: 337315. Phone Number：14112390. E-mail：rsdhv@oakwiudt.transport.cn

776。姓名: 皮沛葆

住址（公园）：山西省运城市闻喜县冠葆路 994 号懂南公园（邮政编码：178360）。联系电话：35967330。电子邮箱：nrhgm@jtlybwgn.parks.cn

Zhù zhǐ: Pí Bèi Bǎo Shānxī Shěng Yùn Chéng Shì Wén Xǐ Xiàn Guān Bǎo Lù 994 Hào Dǒng Nán Gōng Yuán (Yóuzhèng Biānmǎ：178360). Liánxì Diànhuà：35967330. Diànzǐ Yóuxiāng：nrhgm@jtlybwgn.parks.cn

Bei Bao Pi, Dong Nan Park, 994 Guan Bao Road, Wenxi County, Yuncheng, Shanxi. Postal Code: 178360. Phone Number：35967330. E-mail：nrhgm@jtlybwgn.parks.cn

777。姓名: 利食敬

住址（公司）：山西省太原市清徐县豪珏路 731 号化仲有限公司（邮政编码：804446）。联系电话：11936080。电子邮箱：qogxc@xqpsnrfl.biz.cn

Zhù zhǐ: Lì Shí Jìng Shānxī Shěng Tàiyuán Shì Qīng Xú Xiàn Háo Jué Lù 731 Hào Huà Zhòng Yǒuxiàn Gōngsī (Yóuzhèng Biānmǎ：804446). Liánxì Diànhuà：11936080. Diànzǐ Yóuxiāng：qogxc@xqpsnrfl.biz.cn

Shi Jing Li, Hua Zhong Corporation, 731 Hao Jue Road, Qingxu County, Taiyuan, Shanxi. Postal Code: 804446. Phone Number：11936080. E-mail：qogxc@xqpsnrfl.biz.cn

778。姓名: 夏侯昌禹

住址（广场）：山西省忻州市忻府区铭鹤路 123 号发亮广场（邮政编码：934906）。联系电话：88424096。电子邮箱：zrpxf@yoswmhfg.squares.cn

Zhù zhǐ: Xiàhóu Chāng Yǔ Shānxī Shěng Xīnzhōu Shì Xīn Fǔ Qū Míng Hè Lù 123 Hào Fā Liàng Guǎng Chǎng（Yóuzhèng Biānmǎ：934906). Liánxì Diànhuà：88424096. Diànzǐ Yóuxiāng：zrpxf@yoswmhfg.squares.cn

Chang Yu Xiahou, Fa Liang Square, 123 Ming He Road, Xinfu District, Xinzhou, Shanxi. Postal Code: 934906. Phone Number：88424096. E-mail：zrpxf@yoswmhfg.squares.cn

779。姓名: 辛珏学

住址（寺庙）：山西省太原市尖草坪区淹勇路 409 号楚智寺（邮政编码：441359）。联系电话：76722429。电子邮箱：uelht@lngciwqv.god.cn

Zhù zhǐ: Xīn Jué Xué Shānxī Shěng Tàiyuán Shì Jiān Cǎopíng Qū Yān Yǒng Lù 409 Hào Chǔ Zhì Sì（Yóuzhèng Biānmǎ：441359). Liánxì Diànhuà：76722429. Diànzǐ Yóuxiāng：uelht@lngciwqv.god.cn

Jue Xue Xin, Chu Zhi Temple, 409 Yan Yong Road, Jiancaoping District, Taiyuan, Shanxi. Postal Code: 441359. Phone Number：76722429. E-mail：uelht@lngciwqv.god.cn

780。姓名: 后征澜

住址（酒店）：山西省大同市云州区启寰路 930 号食计酒店（邮政编码：277924）。联系电话：72404504。电子邮箱：uimqh@cvjumaoy.biz.cn

Zhù zhǐ: Hòu Zhēng Lán Shānxī Shěng Dàtóng Shì Yún Zhōu Qū Qǐ Huán Lù 930 Hào Yì Jì Jiǔ Diàn（Yóuzhèng Biānmǎ：277924). Liánxì Diànhuà：72404504. Diànzǐ Yóuxiāng：uimqh@cvjumaoy.biz.cn

Zheng Lan Hou, Yi Ji Hotel, 930 Qi Huan Road, Yunzhou District, Datong, Shanxi. Postal Code: 277924. Phone Number：72404504. E-mail：uimqh@cvjumaoy.biz.cn

781。姓名: 萧翼辙

住址（公共汽车站）：山西省大同市阳高县克甫路 375 号祥人站（邮政编码：735112）。联系电话：33449904。电子邮箱：ygvui@nwlfsgio.transport.cn

Zhù zhǐ: Xiāo Yì Zhé Shānxī Shěng Dàtóng Shì Yáng gāo xiàn Kè Fǔ Lù 375 Hào Xiáng Rén Zhàn (Yóuzhèng Biānmǎ：735112). Liánxì Diànhuà：33449904. Diànzǐ Yóuxiāng：ygvui@nwlfsgio.transport.cn

Yi Zhe Xiao, Xiang Ren Bus Station, 375 Ke Fu Road, Yanggao County, Datong, Shanxi. Postal Code: 735112. Phone Number：33449904. E-mail：ygvui@nwlfsgio.transport.cn

782。姓名: 隗隆金

住址（医院）：山西省吕梁市兴县腾食路 750 号冠九医院（邮政编码：959463）。联系电话：77994184。电子邮箱：thjyp@sudxkabg.health.cn

Zhù zhǐ: Kuí Lóng Jīn Shānxī Shěng Lǚliáng Shì Xìng Xiàn Téng Shí Lù 750 Hào Guān Jiǔ Yī Yuàn (Yóuzhèng Biānmǎ：959463). Liánxì Diànhuà：77994184. Diànzǐ Yóuxiāng：thjyp@sudxkabg.health.cn

Long Jin Kui, Guan Jiu Hospital, 750 Teng Shi Road, Xing County, Luliang, Shanxi. Postal Code: 959463. Phone Number：77994184. E-mail：thjyp@sudxkabg.health.cn

783。姓名: 汝亚员

住址（广场）：山西省晋城市城区译兵路 371 号伦晗广场（邮政编码：905512）。联系电话：46090089。电子邮箱：ptxgh@ibnjuqmx.squares.cn

Zhù zhǐ: Rǔ Yà Yún Shānxī Shěng Jìnchéng Shì Chéngqū Yì Bīng Lù 371 Hào Lún Hán Guǎng Chǎng (Yóuzhèng Biānmǎ：905512). Liánxì Diànhuà：46090089. Diànzǐ Yóuxiāng：ptxgh@ibnjuqmx.squares.cn

Ya Yun Ru, Lun Han Square, 371 Yi Bing Road, Urban Area, Jincheng, Shanxi. Postal Code: 905512. Phone Number：46090089. E-mail：ptxgh@ibnjuqmx.squares.cn

784。姓名: 红兵锤

住址（广场）：山西省运城市盐湖区科维路 829 号先强广场（邮政编码：788887）。联系电话：15090999。电子邮箱：bhuao@rzayemcf.squares.cn

Zhù zhǐ: Hóng Bīng Chuí Shānxī Shěng Yùn Chéng Shì Yánhú Qū Kē Wéi Lù 829 Hào Xiān Qiǎng Guǎng Chǎng (Yóuzhèng Biānmǎ：788887). Liánxì Diànhuà：15090999. Diànzǐ Yóuxiāng：bhuao@rzayemcf.squares.cn

Bing Chui Hong, Xian Qiang Square, 829 Ke Wei Road, Salt Lake District, Yuncheng, Shanxi. Postal Code: 788887. Phone Number：15090999. E-mail：bhuao@rzayemcf.squares.cn

785。姓名: 史冠尚

住址（博物院）：山西省太原市阳曲县奎豹路 356 号太原博物馆（邮政编码：148863）。联系电话：99917374。电子邮箱：wyuqe@mwfczbie.museums.cn

Zhù zhǐ: Shǐ Guàn Shàng Shānxī Shěng Tàiyuán Shì Yáng Qū Xiàn Kuí Bào Lù 356 Hào Tàiyuán Bó Wù Guǎn (Yóuzhèng Biānmǎ：148863). Liánxì Diànhuà：99917374. Diànzǐ Yóuxiāng：wyuqe@mwfczbie.museums.cn

Guan Shang Shi, Taiyuan Museum, 356 Kui Bao Road, Yangqu County, Taiyuan, Shanxi. Postal Code: 148863. Phone Number：99917374. E-mail：wyuqe@mwfczbie.museums.cn

786。姓名: 仇征波

住址（机场）：山西省大同市平城区斌亮路 450 号大同冠葆国际机场（邮政编码：192361）。联系电话：95823631。电子邮箱：hreif@nipmjeor.airports.cn

Zhù zhǐ: Qiú Zhēng Bō Shānxī Shěng Dàtóng Shì Píng Chéng Qū Bīn Liàng Lù 450 Hào Dàtóng Guān Bǎo Guó Jì Jī Chǎng (Yóuzhèng Biānmǎ: 192361). Liánxì Diànhuà: 95823631. Diànzǐ Yóuxiāng: hreif@nipmjeor.airports.cn

Zheng Bo Qiu, Datong Guan Bao International Airport, 450 Bin Liang Road, Pingcheng District, Datong, Shanxi. Postal Code: 192361. Phone Number: 95823631. E-mail: hreif@nipmjeor.airports.cn

787。姓名: 周波翼

住址（博物院）：山西省长治市武乡县龙其路 714 号长治博物馆（邮政编码：220813）。联系电话：60662901。电子邮箱：slwdb@tcsnlxih.museums.cn

Zhù zhǐ: Zhōu Bō Yì Shānxī Shěng Chángzhì Shì Wǔ Xiāng Xiàn Lóng Qí Lù 714 Hào Cángz Bó Wù Guǎn (Yóuzhèng Biānmǎ: 220813). Liánxì Diànhuà: 60662901. Diànzǐ Yóuxiāng: slwdb@tcsnlxih.museums.cn

Bo Yi Zhou, Changzhi Museum, 714 Long Qi Road, Wuxiang County, Changzhi, Shanxi. Postal Code: 220813. Phone Number: 60662901. E-mail: slwdb@tcsnlxih.museums.cn

788。姓名: 哈臻冠

住址（火车站）：山西省晋城市城区咚仓路 790 号晋城站（邮政编码：441466）。联系电话：45315180。电子邮箱：hklqo@wcnplghj.chr.cn

Zhù zhǐ: Hǎ Zhēn Guàn Shānxī Shěng Jìnchéng Shì Chéngqū Dōng Cāng Lù 790 Hào Jncéng Zhàn (Yóuzhèng Biānmǎ: 441466). Liánxì Diànhuà: 45315180. Diànzǐ Yóuxiāng: hklqo@wcnplghj.chr.cn

Zhen Guan Ha, Jincheng Railway Station, 790 Dong Cang Road, Urban Area, Jincheng, Shanxi. Postal Code: 441466. Phone Number: 45315180. E-mail: hklqo@wcnplghj.chr.cn

789。姓名: 沙兵尚

住址（博物院）：山西省忻州市偏关县仲世路 877 号忻州博物馆（邮政编码：929120）。联系电话：91906494。电子邮箱：tdouv@urtkoycf.museums.cn

Zhù zhǐ: Shā Bīng Shàng Shānxī Shěng Xīnzhōu Shì Piān Guān Xiàn Zhòng Shì Lù 877 Hào Xīnzōu Bó Wù Guǎn (Yóuzhèng Biānmǎ：929120). Liánxì Diànhuà：91906494. Diànzǐ Yóuxiāng：tdouv@urtkoycf.museums.cn

Bing Shang Sha, Xinzhou Museum, 877 Zhong Shi Road, Pianguan County, Xinzhou, Shanxi. Postal Code: 929120. Phone Number：91906494. E-mail：tdouv@urtkoycf.museums.cn

790。姓名: 蒯星坤

住址（酒店）：山西省长治市壶关县守光路 373 号学光酒店（邮政编码：208519）。联系电话：95512268。电子邮箱：zbedc@avmhpcgz.biz.cn

Zhù zhǐ: Kuǎi Xīng Kūn Shānxī Shěng Chángzhì Shì Hú Guān Xiàn Shǒu Guāng Lù 373 Hào Xué Guāng Jiǔ Diàn (Yóuzhèng Biānmǎ：208519). Liánxì Diànhuà：95512268. Diànzǐ Yóuxiāng：zbedc@avmhpcgz.biz.cn

Xing Kun Kuai, Xue Guang Hotel, 373 Shou Guang Road, Huguan County, Changzhi, Shanxi. Postal Code: 208519. Phone Number：95512268. E-mail：zbedc@avmhpcgz.biz.cn

791。姓名: 郁铁炯

住址（大学）：山西省晋城市陵川县磊白大学智星路 669 号（邮政编码：804979）。联系电话：80961938。电子邮箱：oltri@mfiuepzc.edu.cn

Zhù zhǐ: Yù Fū Jiǒng Shānxī Shěng Jìnchéng Shì Líng Chuān Xiàn Lěi Bái DàxuéZhì Xīng Lù 669 Hào (Yóuzhèng Biānmǎ：804979). Liánxì Diànhuà：80961938. Diànzǐ Yóuxiāng：oltri@mfiuepzc.edu.cn

Fu Jiong Yu, Lei Bai University, 669 Zhi Xing Road, Lingchuan County, Jincheng, Shanxi. Postal Code: 804979. Phone Number：80961938. E-mail：oltri@mfiuepzc.edu.cn

792。姓名: 左乐愈

住址（公司）：山西省晋中市介休市白人路 221 号毅祥有限公司（邮政编码：538645）。联系电话：12014601。电子邮箱：wijvm@dzniqxcv.biz.cn

Zhù zhǐ: Zuǒ Lè Yù Shānxī Shěng Jìn Zhōng Shì Jiè Xiūshì Bái Rén Lù 221 Hào Yì Xiáng Yǒuxiàn Gōngsī (Yóuzhèng Biānmǎ：538645). Liánxì Diànhuà：12014601. Diànzǐ Yóuxiāng：wijvm@dzniqxcv.biz.cn

Le Yu Zuo, Yi Xiang Corporation, 221 Bai Ren Road, Jiexiu City, Jinzhong, Shanxi. Postal Code: 538645. Phone Number：12014601. E-mail：wijvm@dzniqxcv.biz.cn

793。姓名: 罗陶坤

住址（湖泊）：山西省大同市灵丘县维祥路 761 号国启湖（邮政编码：700892）。联系电话：73972525。电子邮箱：ecznl@vomisnya.lakes.cn

Zhù zhǐ: Luó Táo Kūn Shānxī Shěng Dàtóng Shì Líng Qiū Xiàn Wéi Xiáng Lù 761 Hào Guó Qǐ Hú (Yóuzhèng Biānmǎ：700892). Liánxì Diànhuà：73972525. Diànzǐ Yóuxiāng：ecznl@vomisnya.lakes.cn

Tao Kun Luo, Guo Qi Lake, 761 Wei Xiang Road, Lingqiu County, Datong, Shanxi. Postal Code: 700892. Phone Number：73972525. E-mail：ecznl@vomisnya.lakes.cn

794。姓名: 黄柱翰

住址（湖泊）：山西省长治市襄垣县晖焯路 738 号石波湖（邮政编码：379521）。联系电话：32778596。电子邮箱：rgvem@vgzjlxcw.lakes.cn

Zhù zhǐ: Huáng Zhù Hàn Shānxī Shěng Chángzhì Shì Xiāngyuán Xiàn Huī Chāo Lù 738 Hào Shí Bō Hú (Yóuzhèng Biānmǎ：379521). Liánxì Diànhuà：32778596. Diànzǐ Yóuxiāng：rgvem@vgzjlxcw.lakes.cn

Zhu Han Huang, Shi Bo Lake, 738 Hui Chao Road, Xiangyuan County, Changzhi, Shanxi. Postal Code: 379521. Phone Number：32778596. E-mail：rgvem@vgzjlxcw.lakes.cn

795。姓名: 竺陶炯

住址（广场）：山西省大同市天镇县帆克路 445 号跃翰广场（邮政编码：996372）。联系电话：89733107。电子邮箱：vsxij@yiaburkm.squares.cn

Zhù zhǐ: Zhú Táo Jiǒng Shānxī Shěng Dàtóng Shì Tiān Zhèn Xiàn Fān Kè Lù 445 Hào Yuè Hàn Guǎng Chǎng （Yóuzhèng Biānmǎ：996372). Liánxì Diànhuà：89733107. Diànzǐ Yóuxiāng：vsxij@yiaburkm.squares.cn

Tao Jiong Zhu, Yue Han Square, 445 Fan Ke Road, Tianzhen County, Datong, Shanxi. Postal Code: 996372. Phone Number：89733107. E-mail：vsxij@yiaburkm.squares.cn

796。姓名: 阮翰陶

住址（公园）：山西省大同市云州区稼懂路 906 号坤友公园（邮政编码：981166）。联系电话：48801488。电子邮箱：kgtbo@qiacvjfg.parks.cn

Zhù zhǐ: Ruǎn Hàn Táo Shānxī Shěng Dàtóng Shì Yún Zhōu Qū Jià Dǒng Lù 906 Hào Kūn Yǒu Gōng Yuán （Yóuzhèng Biānmǎ：981166). Liánxì Diànhuà：48801488. Diànzǐ Yóuxiāng：kgtbo@qiacvjfg.parks.cn

Han Tao Ruan, Kun You Park, 906 Jia Dong Road, Yunzhou District, Datong, Shanxi. Postal Code: 981166. Phone Number：48801488. E-mail：kgtbo@qiacvjfg.parks.cn

797。姓名: 庄俊柱

住址（广场）：山西省阳泉市城区波桥路 430 号胜咚广场（邮政编码：971964）。联系电话：22080438。电子邮箱：ramhy@uxpaicts.squares.cn

Zhù zhǐ: Zhuāng Jùn Zhù Shānxī Shěng Yángquán Shì Chéngqū Bō Qiáo Lù 430 Hào Shēng Dōng Guǎng Chǎng（Yóuzhèng Biānmǎ：971964). Liánxì Diànhuà：22080438. Diànzǐ Yóuxiāng：ramhy@uxpaicts.squares.cn

Jun Zhu Zhuang, Sheng Dong Square, 430 Bo Qiao Road, Urban Area, Yangquan, Shanxi. Postal Code: 971964. Phone Number：22080438. E-mail：ramhy@uxpaicts.squares.cn

798。姓名: 苏恩游

住址（公共汽车站）：山西省朔州市朔城区伦炯路 347 号铁化站（邮政编码：478138）。联系电话：15648288。电子邮箱：oqsfy@quzlhrem.transport.cn

Zhù zhǐ: Sū Ēn Yóu Shānxī Shěng Shuò Zhōu Shì Shuò Chéngqū Lún Jiǒng Lù 347 Hào Fū Huā Zhàn（Yóuzhèng Biānmǎ：478138). Liánxì Diànhuà：15648288. Diànzǐ Yóuxiāng：oqsfy@quzlhrem.transport.cn

En You Su, Fu Hua Bus Station, 347 Lun Jiong Road, Shuocheng District, Shuozhou, Shanxi. Postal Code: 478138. Phone Number：15648288. E-mail：oqsfy@quzlhrem.transport.cn

799。姓名: 萧锡鸣

住址（火车站）：山西省吕梁市兴县食彬路 953 号吕梁站（邮政编码：667350）。联系电话：44012433。电子邮箱：elcux@adurxeiy.chr.cn

Zhù zhǐ: Xiāo Xī Míng Shānxī Shěng Lǚliáng Shì Xìng Xiàn Yì Bīn Lù 953 Hào Lǚliáng Zhàn（Yóuzhèng Biānmǎ：667350). Liánxì Diànhuà：44012433. Diànzǐ Yóuxiāng：elcux@adurxeiy.chr.cn

Xi Ming Xiao, Luliang Railway Station, 953 Yi Bin Road, Xing County, Luliang, Shanxi. Postal Code: 667350. Phone Number：44012433. E-mail：elcux@adurxeiy.chr.cn

800。姓名: 田熔汉

住址（广场）：山西省临汾市吉县胜轶路 129 号陆亭广场（邮政编码：962119）。联系电话：93596722。电子邮箱：xdwur@kqjgzlhp.squares.cn

Zhù zhǐ: Tián Róng Hàn Shānxī Shěng Línfén Shì Jí Xiàn Shēng Yì Lù 129 Hào Lù Tíng Guǎng Chǎng（Yóuzhèng Biānmǎ：962119). Liánxì Diànhuà：93596722. Diànzǐ Yóuxiāng：xdwur@kqjgzlhp.squares.cn

Rong Han Tian, Lu Ting Square, 129 Sheng Yi Road, Ji County, Linfen, Shanxi. Postal Code: 962119. Phone Number：93596722. E-mail：xdwur@kqjgzlhp.squares.cn

801。姓名:蓬浩岐

住址（广场）：山西省运城市万荣县圣译路 679 号德发广场（邮政编码：721723）。联系电话：95961450。电子邮箱：xrevs@itpymodz.squares.cn

Zhù zhǐ: Péng Hào Qí Shānxī Shěng Yùn Chéng Shì Wàn Róngxiàn Shèng Yì Lù 679 Hào Dé Fā Guǎng Chǎng（Yóuzhèng Biānmǎ：721723). Liánxì Diànhuà：95961450. Diànzǐ Yóuxiāng：xrevs@itpymodz.squares.cn

Hao Qi Peng, De Fa Square, 679 Sheng Yi Road, Wanrong County, Yuncheng, Shanxi. Postal Code: 721723. Phone Number：95961450. E-mail：xrevs@itpymodz.squares.cn

802。姓名:孙歧原

住址（家庭）：山西省临汾市洪洞县化成路 654 号民熔公寓 9 层 123 室（邮政编码：139803）。联系电话：90620085。电子邮箱：vbifh@xibdoust.cn

Zhù zhǐ: Sūn Qí Yuán Shānxī Shěng Línfén Shì Hóng Dòng Xiàn Huà Chéng Lù 654 Hào Mín Róng Gōng Yù 9 Céng 123 Shì (Yóuzhèng Biānmǎ：139803). Liánxì Diànhuà：90620085. Diànzǐ Yóuxiāng：vbifh@xibdoust.cn

Qi Yuan Sun, Room# 123, Floor# 9, Min Rong Apartment, 654 Hua Cheng Road, Hongdong County, Linfen, Shanxi. Postal Code: 139803. Phone Number：90620085. E-mail：vbifh@xibdoust.cn

803。姓名：桂强稼

住址（湖泊）：山西省大同市阳高县翼乐路 235 号晗陆湖（邮政编码：976101）。联系电话：63941009。电子邮箱：qpkyd@tduirxwz.lakes.cn

Zhù zhǐ: Guì Qiáng Jià Shānxī Shěng Dàtóng Shì Yáng gāo xiàn Yì Lè Lù 235 Hào Hán Liù Hú（Yóuzhèng Biānmǎ：976101). Liánxì Diànhuà：63941009. Diànzǐ Yóuxiāng：qpkyd@tduirxwz.lakes.cn

Qiang Jia Gui, Han Liu Lake, 235 Yi Le Road, Yanggao County, Datong, Shanxi. Postal Code: 976101. Phone Number：63941009. E-mail：qpkyd@tduirxwz.lakes.cn

804。姓名：甘克葆

住址（酒店）：山西省运城市闻喜县福坡路 647 号德仲酒店（邮政编码：492867）。联系电话：32008595。电子邮箱：acdxf@ywunvfsc.biz.cn

Zhù zhǐ: Gān Kè Bǎo Shānxī Shěng Yùn Chéng Shì Wén Xǐ Xiàn Fú Pō Lù 647 Hào Dé Zhòng Jiǔ Diàn（Yóuzhèng Biānmǎ：492867). Liánxì Diànhuà：32008595. Diànzǐ Yóuxiāng：acdxf@ywunvfsc.biz.cn

Ke Bao Gan, De Zhong Hotel, 647 Fu Po Road, Wenxi County, Yuncheng, Shanxi. Postal Code: 492867. Phone Number：32008595. E-mail：acdxf@ywunvfsc.biz.cn

805。姓名：左国胜

住址（医院）：山西省长治市沁县懂宝路 539 号人其医院（邮政编码：516791）。联系电话：74031481。电子邮箱：mqocl@lmzoiefk.health.cn

Zhù zhǐ: Zuǒ Guó Shēng Shānxī Shěng Chángzhì Shì Qìn Xiàn Dǒng Bǎo Lù 539 Hào Rén Qí Yī Yuàn（Yóuzhèng Biānmǎ：516791). Liánxì Diànhuà：74031481. Diànzǐ Yóuxiāng：mqocl@lmzoiefk.health.cn

Guo Sheng Zuo, Ren Qi Hospital, 539 Dong Bao Road, Qin County, Changzhi, Shanxi. Postal Code: 516791. Phone Number：74031481. E-mail：mqocl@lmzoiefk.health.cn

806。姓名: 齐钊辉

住址（机场）：山西省临汾市安泽县葆中路 486 号临汾葛锡国际机场（邮政编码：537913）。联系电话：18825284。电子邮箱：hagzt@metnivjz.airports.cn

Zhù zhǐ: Qí Zhāo Huī Shānxī Shěng Línfén Shì Ān Zé Xiàn Bǎo Zhòng Lù 486 Hào Línfén Gé Xī Guó Jì Jī Chǎng（Yóuzhèng Biānmǎ：537913). Liánxì Diànhuà：18825284. Diànzǐ Yóuxiāng：hagzt@metnivjz.airports.cn

Zhao Hui Qi, Linfen Ge Xi International Airport, 486 Bao Zhong Road, Anze County, Linfen, Shanxi. Postal Code: 537913. Phone Number：18825284. E-mail：hagzt@metnivjz.airports.cn

807。姓名: 党智宽

住址（家庭）：山西省长治市沁源县辙来路 405 号成尚公寓 35 层 198 室（邮政编码：319539）。联系电话：51436909。电子邮箱：kiotd@ftaxilrv.cn

Zhù zhǐ: Dǎng Zhì Kuān Shānxī Shěng Chángzhì Shì Qìn Yuán Xiàn Zhé Lái Lù 405 Hào Chéng Shàng Gōng Yù 35 Céng 198 Shì (Yóuzhèng Biānmǎ：319539). Liánxì Diànhuà：51436909. Diànzǐ Yóuxiāng：kiotd@ftaxilrv.cn

Zhi Kuan Dang, Room# 198, Floor# 35, Cheng Shang Apartment, 405 Zhe Lai Road, Qinyuan County, Changzhi, Shanxi. Postal Code: 319539. Phone Number：51436909. E-mail：kiotd@ftaxilrv.cn

808。姓名: 季焊己

住址（广场）：山西省长治市屯留区淘学路 995 号彬民广场（邮政编码：828279）。联系电话：68423557。电子邮箱：ocqtv@xguewbsd.squares.cn

Zhù zhǐ: Jì Zhuō Jǐ Shānxī Shěng Chángzhì Shì Tún Liú Qū Xún Xué Lù 995 Hào Bīn Mín Guǎng Chǎng（Yóuzhèng Biānmǎ：828279). Liánxì Diànhuà：68423557. Diànzǐ Yóuxiāng：ocqtv@xguewbsd.squares.cn

Zhuo Ji Ji, Bin Min Square, 995 Xun Xue Road, Tunliu District, Changzhi, Shanxi. Postal Code: 828279. Phone Number：68423557. E-mail：ocqtv@xguewbsd.squares.cn

809。姓名: 华民威

住址（公园）：山西省忻州市保德县国盛路 238 号智亭公园（邮政编码：114730）。联系电话：64791347。电子邮箱：agmth@frlgjktx.parks.cn

Zhù zhǐ: Huà Mín Wēi Shānxī Shěng Xīnzhōu Shì Bǎo Dé Xiàn Guó Chéng Lù 238 Hào Zhì Tíng Gōng Yuán（Yóuzhèng Biānmǎ：114730). Liánxì Diànhuà：64791347. Diànzǐ Yóuxiāng：agmth@frlgjktx.parks.cn

Min Wei Hua, Zhi Ting Park, 238 Guo Cheng Road, Baode County, Xinzhou, Shanxi. Postal Code: 114730. Phone Number：64791347. E-mail：agmth@frlgjktx.parks.cn

810。姓名: 邱大楚

住址（公共汽车站）：山西省太原市阳曲县化涛路 599 号发星站（邮政编码：362482）。联系电话：82591520。电子邮箱：mzuix@pjedkrwi.transport.cn

Zhù zhǐ: Qiū Dà Chǔ Shānxī Shěng Tàiyuán Shì Yáng Qū Xiàn Huà Tāo Lù 599 Hào Fā Xīng Zhàn（Yóuzhèng Biānmǎ：362482). Liánxì Diànhuà：82591520. Diànzǐ Yóuxiāng：mzuix@pjedkrwi.transport.cn

Da Chu Qiu, Fa Xing Bus Station, 599 Hua Tao Road, Yangqu County, Taiyuan, Shanxi. Postal Code: 362482. Phone Number：82591520. E-mail：mzuix@pjedkrwi.transport.cn

811。姓名: 甄舟翰

住址（家庭）：山西省运城市平陆县阳南路 794 号桥院公寓 4 层 208 室（邮政编码：187286）。联系电话：28435642。电子邮箱：apkyd@xqlkgeiv.cn

Zhù zhǐ: Zhēn Zhōu Hàn Shānxī Shěng Yùn Chéng Shì Píng Lù Xiàn Yáng Nán Lù 794 Hào Qiáo Yuàn Gōng Yù 4 Céng 208 Shì (Yóuzhèng Biānmǎ：187286). Liánxì Diànhuà：28435642. Diànzǐ Yóuxiāng：apkyd@xqlkgeiv.cn

Zhou Han Zhen, Room# 208, Floor# 4, Qiao Yuan Apartment, 794 Yang Nan Road, Pinglu County, Yuncheng, Shanxi. Postal Code: 187286. Phone Number：28435642. E-mail：apkyd@xqlkgeiv.cn

812。姓名: 百凤风

住址（家庭）：山西省吕梁市石楼县翰俊路 266 号鹤愈公寓 11 层 509 室（邮政编码：144745）。联系电话：31373904。电子邮箱：jxwfc@gpwombhi.cn

Zhù zhǐ: Bǎi Fēng Fēng Shānxī Shěng Lǚliáng Shì Shí Lóu Xiàn Hàn Jùn Lù 266 Hào Hè Yù Gōng Yù 11 Céng 509 Shì (Yóuzhèng Biānmǎ：144745). Liánxì Diànhuà：31373904. Diànzǐ Yóuxiāng：jxwfc@gpwombhi.cn

Feng Feng Bai, Room# 509, Floor# 11, He Yu Apartment, 266 Han Jun Road, Shilou County, Luliang, Shanxi. Postal Code: 144745. Phone Number：31373904. E-mail：jxwfc@gpwombhi.cn

813。姓名: 贡石坡

住址（火车站）：山西省大同市云冈区人大路 696 号大同站（邮政编码：115772）。联系电话：50105044。电子邮箱：eyqgv@yhxukfve.chr.cn

Zhù zhǐ: Gòng Dàn Pō Shānxī Shěng Dàtóng Shì Yún Gāng Qū Rén Dài Lù 696 Hào Dàtóng Zhàn （Yóuzhèng Biānmǎ：115772）. Liánxì Diànhuà：50105044. Diànzǐ Yóuxiāng：eyqgv@yhxukfve.chr.cn

Dan Po Gong, Datong Railway Station, 696 Ren Dai Road, Yungang District, Datong, Shanxi. Postal Code: 115772. Phone Number：50105044. E-mail：eyqgv@yhxukfve.chr.cn

814。姓名: 丰国守

住址（医院）：山西省晋城市泽州县易乙路 832 号白敬医院（邮政编码：447997）。联系电话：33499388。电子邮箱：deqps@ushgaxdy.health.cn

Zhù zhǐ: Fēng Guó Shǒu Shānxī Shěng Jìnchéng Shì Zé Zhōu Xiàn Yì Yǐ Lù 832 Hào Bái Jìng Yī Yuàn （Yóuzhèng Biānmǎ：447997). Liánxì Diànhuà：33499388. Diànzǐ Yóuxiāng：deqps@ushgaxdy.health.cn

Guo Shou Feng, Bai Jing Hospital, 832 Yi Yi Road, Zezhou County, Jincheng, Shanxi. Postal Code: 447997. Phone Number：33499388. E-mail：deqps@ushgaxdy.health.cn

815。姓名: 董稼冕

住址（火车站）：山西省晋城市阳城县锤王路 925 号晋城站（邮政编码：325941）。联系电话：34231188。电子邮箱：qitzf@hjrsbluq.chr.cn

Zhù zhǐ: Dǒng Jià Miǎn Shānxī Shěng Jìnchéng Shì Yáng Chéng Xiàn Chuí Wáng Lù 925 Hào Jncéng Zhàn （Yóuzhèng Biānmǎ：325941). Liánxì Diànhuà：34231188. Diànzǐ Yóuxiāng：qitzf@hjrsbluq.chr.cn

Jia Mian Dong, Jincheng Railway Station, 925 Chui Wang Road, Yangcheng County, Jincheng, Shanxi. Postal Code: 325941. Phone Number：34231188. E-mail：qitzf@hjrsbluq.chr.cn

816。姓名: 百里葆毅

住址（博物院）：山西省晋中市灵石县继冠路 138 号晋中博物馆（邮政编码：641406）。联系电话：98844859。电子邮箱：aqgsr@tlwmkjox.museums.cn

Zhù zhǐ: Bǎilǐ Bǎo Yì Shānxī Shěng Jìn Zhōng Shì Líng Shí Xiàn Jì Guàn Lù 138 Hào Jn Zōng Bó Wù Guǎn（Yóuzhèng Biānmǎ：641406). Liánxì Diànhuà：98844859. Diànzǐ Yóuxiāng：aqgsr@tlwmkjox.museums.cn

Bao Yi Baili, Jinzhong Museum, 138 Ji Guan Road, Lingshi County, Jinzhong, Shanxi. Postal Code: 641406. Phone Number：98844859. E-mail：aqgsr@tlwmkjox.museums.cn

817。姓名: 满谢独

住址（公共汽车站）：山西省阳泉市城区锡大路 973 号食威站（邮政编码：469263）。联系电话：35351403。电子邮箱：mbkeu@phitfmew.transport.cn

Zhù zhǐ: Mǎn Xiè Dú Shānxī Shěng Yángquán Shì Chéngqū Xī Dài Lù 973 Hào Sì Wēi Zhàn（Yóuzhèng Biānmǎ：469263). Liánxì Diànhuà：35351403. Diànzǐ Yóuxiāng：mbkeu@phitfmew.transport.cn

Xie Du Man, Si Wei Bus Station, 973 Xi Dai Road, Urban Area, Yangquan, Shanxi. Postal Code: 469263. Phone Number：35351403. E-mail：mbkeu@phitfmew.transport.cn

818。姓名: 苗葛石

住址（机场）：山西省运城市平陆县稼浩路 588 号运城桥学国际机场（邮政编码：296475）。联系电话：77974170。电子邮箱：fstzc@zsvrqtcw.airports.cn

Zhù zhǐ: Miáo Gé Dàn Shānxī Shěng Yùn Chéng Shì Píng Lù Xiàn Jià Hào Lù 588 Hào Yùn Céng Qiáo Xué Guó Jì Jī Chǎng（Yóuzhèng Biānmǎ：296475). Liánxì Diànhuà：77974170. Diànzǐ Yóuxiāng：fstzc@zsvrqtcw.airports.cn

Ge Dan Miao, Yuncheng Qiao Xue International Airport, 588 Jia Hao Road, Pinglu County, Yuncheng, Shanxi. Postal Code: 296475. Phone Number：77974170. E-mail：fstzc@zsvrqtcw.airports.cn

819。姓名: 满星坚

住址（医院）：山西省晋中市和顺县禹王路 564 号宝居医院（邮政编码：745279）。联系电话：16326731。电子邮箱：pixkl@txwvqcrp.health.cn

Zhù zhǐ: Mǎn Xīng Jiān Shānxī Shěng Jìn Zhōng Shì Héshùn Xiàn Yǔ Wàng Lù 564 Hào Bǎo Jū Yī Yuàn (Yóuzhèng Biānmǎ：745279). Liánxì Diànhuà：16326731. Diànzǐ Yóuxiāng：pixkl@txwvqcrp.health.cn

Xing Jian Man, Bao Ju Hospital, 564 Yu Wang Road, Heshun County, Jinzhong, Shanxi. Postal Code: 745279. Phone Number：16326731. E-mail：pixkl@txwvqcrp.health.cn

820。姓名: 令狐兵钦

住址（广场）：山西省晋中市平遥县克铁路 481 号可铭广场（邮政编码：355823）。联系电话：38641943。电子邮箱：lzhvp@wkodvnqp.squares.cn

Zhù zhǐ: Lìnghú Bīng Qīn Shānxī Shěng Jìn Zhōng Shì Píngyáo Xiàn Kè Tiě Lù 481 Hào Kě Míng Guǎng Chǎng (Yóuzhèng Biānmǎ：355823). Liánxì Diànhuà：38641943. Diànzǐ Yóuxiāng：lzhvp@wkodvnqp.squares.cn

Bing Qin Linghu, Ke Ming Square, 481 Ke Tie Road, Pingyao County, Jinzhong, Shanxi. Postal Code: 355823. Phone Number：38641943. E-mail：lzhvp@wkodvnqp.squares.cn

821。姓名: 利铭钢

住址（火车站）：山西省大同市广灵县译翼路 240 号大同站（邮政编码：840072）。联系电话：93646886。电子邮箱：tfgiq@mdqynrfk.chr.cn

Zhù zhǐ: Lì Míng Gāng Shānxī Shěng Dàtóng Shì Guǎng Líng Xiàn Yì Yì Lù 240 Hào Dàtóng Zhàn（Yóuzhèng Biānmǎ：840072). Liánxì Diànhuà：93646886. Diànzǐ Yóuxiāng：tfgiq@mdqynrfk.chr.cn

Ming Gang Li, Datong Railway Station, 240 Yi Yi Road, Guangling County, Datong, Shanxi. Postal Code: 840072. Phone Number：93646886. E-mail：tfgiq@mdqynrfk.chr.cn

822。姓名: 符威铁

住址（广场）：山西省长治市潞州区全红路 975 号威骥广场（邮政编码：421000）。联系电话：27185529。电子邮箱：ogfve@mlwdojpn.squares.cn

Zhù zhǐ: Fú Wēi Tiě Shānxī Shěng Chángzhì Shì Lù Zhōu Qū Quán Hóng Lù 975 Hào Wēi Jì Guǎng Chǎng（Yóuzhèng Biānmǎ：421000). Liánxì Diànhuà：27185529. Diànzǐ Yóuxiāng：ogfve@mlwdojpn.squares.cn

Wei Tie Fu, Wei Ji Square, 975 Quan Hong Road, Luzhou District, Changzhi, Shanxi. Postal Code: 421000. Phone Number：27185529. E-mail：ogfve@mlwdojpn.squares.cn

823。姓名: 孙寰世

住址（湖泊）：山西省运城市临猗县立水路 534 号谢游湖（邮政编码：693345）。联系电话：85439904。电子邮箱：djxcw@uizexmsh.lakes.cn

Zhù zhǐ: Sūn Huán Shì Shānxī Shěng Yùn Chéng Shì Lín Yī Xiàn Lì Shuǐ Lù 534 Hào Xiè Yóu Hú（Yóuzhèng Biānmǎ：693345). Liánxì Diànhuà：85439904. Diànzǐ Yóuxiāng：djxcw@uizexmsh.lakes.cn

Huan Shi Sun, Xie You Lake, 534 Li Shui Road, Linyi County, Yuncheng, Shanxi. Postal Code: 693345. Phone Number：85439904. E-mail：djxcw@uizexmsh.lakes.cn

824。姓名: 东门铭沛

住址（家庭）：山西省太原市尖草坪区汉咚路 259 号毅岐公寓 45 层 934 室（邮政编码：294839）。联系电话：52985506。电子邮箱：rilvx@vhwagntl.cn

Zhù zhǐ: Dōngmén Míng Pèi Shānxī Shěng Tàiyuán Shì Jiān Cǎopíng Qū Hàn Dōng Lù 259 Hào Yì Qí Gōng Yù 45 Céng 934 Shì (Yóuzhèng Biānmǎ：294839). Liánxì Diànhuà：52985506. Diànzǐ Yóuxiāng：rilvx@vhwagntl.cn

Ming Pei Dongmen, Room# 934, Floor# 45, Yi Qi Apartment, 259 Han Dong Road, Jiancaoping District, Taiyuan, Shanxi. Postal Code: 294839. Phone Number：52985506. E-mail：rilvx@vhwagntl.cn

825。姓名: 叶不征

住址（家庭）：山西省运城市万荣县圣钦路 550 号光威公寓 38 层 491 室（邮政编码：365397）。联系电话：15613411。电子邮箱：gktpo@nuskarqg.cn

Zhù zhǐ: Yè Bù Zhēng Shānxī Shěng Yùn Chéng Shì Wàn Róngxiàn Shèng Qīn Lù 550 Hào Guāng Wēi Gōng Yù 38 Céng 491 Shì (Yóuzhèng Biānmǎ：365397). Liánxì Diànhuà：15613411. Diànzǐ Yóuxiāng：gktpo@nuskarqg.cn

Bu Zheng Ye, Room# 491, Floor# 38, Guang Wei Apartment, 550 Sheng Qin Road, Wanrong County, Yuncheng, Shanxi. Postal Code: 365397. Phone Number：15613411. E-mail：gktpo@nuskarqg.cn

826。姓名: 伯红胜

住址（机场）：山西省吕梁市中阳县威彬路 763 号吕梁陆泽国际机场（邮政编码：282806）。联系电话：72980892。电子邮箱：nvqjw@mhsqvzyw.airports.cn

Zhù zhǐ: Bó Hóng Shēng Shānxī Shěng Lǚliáng Shì Zhōng Yáng Xiàn Wēi Bīn Lù 763 Hào Lǚliáng Lù Zé Guó Jì Jī Chǎng (Yóuzhèng Biānmǎ：282806). Liánxì Diànhuà：72980892. Diànzǐ Yóuxiāng：nvqjw@mhsqvzyw.airports.cn

Hong Sheng Bo, Luliang Lu Ze International Airport, 763 Wei Bin Road, Zhongyang County, Luliang, Shanxi. Postal Code: 282806. Phone Number：72980892. E-mail：nvqjw@mhsqvzyw.airports.cn

827。姓名: 鲜于亚独

住址（公园）：山西省吕梁市柳林县庆楚路 940 号炯盛公园（邮政编码：830265）。联系电话：18190578。电子邮箱：nyswl@ldhntqve.parks.cn

Zhù zhǐ: Xiānyú Yà Dú Shānxī Shěng Lǚliáng Shì Liǔ Lín Xiàn Qìng Chǔ Lù 940 Hào Jiǒng Shèng Gōng Yuán（Yóuzhèng Biānmǎ：830265）. Liánxì Diànhuà：18190578. Diànzǐ Yóuxiāng：nyswl@ldhntqve.parks.cn

Ya Du Xianyu, Jiong Sheng Park, 940 Qing Chu Road, Liulin County, Luliang, Shanxi. Postal Code: 830265. Phone Number：18190578. E-mail：nyswl@ldhntqve.parks.cn

828。姓名: 甄陆胜

住址（公园）：山西省晋中市榆社县人铁路 727 号黎盛公园（邮政编码：863220）。联系电话：50284304。电子邮箱：eodpc@saudkjyl.parks.cn

Zhù zhǐ: Zhēn Lù Shēng Shānxī Shěng Jìn Zhōng Shì Yú Shè Xiàn Rén Fū Lù 727 Hào Lí Shèng Gōng Yuán（Yóuzhèng Biānmǎ：863220）. Liánxì Diànhuà：50284304. Diànzǐ Yóuxiāng：eodpc@saudkjyl.parks.cn

Lu Sheng Zhen, Li Sheng Park, 727 Ren Fu Road, Yushe County, Jinzhong, Shanxi. Postal Code: 863220. Phone Number：50284304. E-mail：eodpc@saudkjyl.parks.cn

829。姓名: 陈守茂

住址（医院）：山西省临汾市大宁县队惟路 401 号宝钦医院（邮政编码：178548）。联系电话：74819588。电子邮箱：amktj@fdkjloqc.health.cn

Zhù zhǐ: Chén Shǒu Mào Shānxī Shěng Línfén Shì Dà Níngxiàn Duì Wéi Lù 401 Hào Bǎo Qīn Yī Yuàn (Yóuzhèng Biānmǎ：178548). Liánxì Diànhuà：74819588. Diànzǐ Yóuxiāng：amktj@fdkjloqc.health.cn

Shou Mao Chen, Bao Qin Hospital, 401 Dui Wei Road, Daning County, Linfen, Shanxi. Postal Code: 178548. Phone Number：74819588. E-mail：amktj@fdkjloqc.health.cn

830。姓名: 伍柱澜

住址（寺庙）：山西省太原市杏花岭区中波路 713 号翼源寺（邮政编码：154309）。联系电话：52558240。电子邮箱：nobtf@iaxvelwo.god.cn

Zhù zhǐ: Wǔ Zhù Lán Shānxī Shěng Tàiyuán Shì Xìng Huā Lǐng Qū Zhōng Bō Lù 713 Hào Yì Yuán Sì (Yóuzhèng Biānmǎ：154309). Liánxì Diànhuà：52558240. Diànzǐ Yóuxiāng：nobtf@iaxvelwo.god.cn

Zhu Lan Wu, Yi Yuan Temple, 713 Zhong Bo Road, Xinghualing District, Taiyuan, Shanxi. Postal Code: 154309. Phone Number：52558240. E-mail：nobtf@iaxvelwo.god.cn

831。姓名: 生坤凤

住址（酒店）：山西省大同市云州区白舟路 516 号己锤酒店（邮政编码：650530）。联系电话：97690806。电子邮箱：rsoxt@slmnegov.biz.cn

Zhù zhǐ: Shēng Kūn Fēng Shānxī Shěng Dàtóng Shì Yún Zhōu Qū Bái Zhōu Lù 516 Hào Jǐ Chuí Jiǔ Diàn (Yóuzhèng Biānmǎ：650530). Liánxì Diànhuà：97690806. Diànzǐ Yóuxiāng：rsoxt@slmnegov.biz.cn

Kun Feng Sheng, Ji Chui Hotel, 516 Bai Zhou Road, Yunzhou District, Datong, Shanxi. Postal Code: 650530. Phone Number：97690806. E-mail：rsoxt@slmnegov.biz.cn

832。姓名: 单仲克

住址（公司）：山西省运城市稷山县愈圣路 614 号光星有限公司（邮政编码：927544）。联系电话：64071589。电子邮箱：dtpom@dpgcrfvb.biz.cn

Zhù zhǐ: Shàn Zhòng Kè Shānxī Shěng Yùn Chéng Shì Jì Shān Xiàn Yù Shèng Lù 614 Hào Guāng Xīng Yǒuxiàn Gōngsī (Yóuzhèng Biānmǎ: 927544). Liánxì Diànhuà: 64071589. Diànzǐ Yóuxiāng: dtpom@dpgcrfvb.biz.cn

Zhong Ke Shan, Guang Xing Corporation, 614 Yu Sheng Road, Jishan County, Yuncheng, Shanxi. Postal Code: 927544. Phone Number: 64071589. E-mail: dtpom@dpgcrfvb.biz.cn

833。姓名: 隗隆轼

住址（机场）：山西省临汾市永和县舟甫路 468 号临汾歧晖国际机场（邮政编码：869500）。联系电话：41105868。电子邮箱：fgkiw@vyslkqep.airports.cn

Zhù zhǐ: Kuí Lóng Shì Shānxī Shěng Línfén Shì Yǒnghé Xiàn Zhōu Fǔ Lù 468 Hào Línfén Qí Huī Guó Jì Jī Chǎng (Yóuzhèng Biānmǎ: 869500). Liánxì Diànhuà: 41105868. Diànzǐ Yóuxiāng: fgkiw@vyslkqep.airports.cn

Long Shi Kui, Linfen Qi Hui International Airport, 468 Zhou Fu Road, Yonghe County, Linfen, Shanxi. Postal Code: 869500. Phone Number: 41105868. E-mail: fgkiw@vyslkqep.airports.cn

834。姓名: 吕勇柱

住址（寺庙）：山西省运城市闻喜县腾黎路 367 号科译寺（邮政编码：724468）。联系电话：97190316。电子邮箱：rmlps@duwvfarj.god.cn

Zhù zhǐ: Lǚ Yǒng Zhù Shānxī Shěng Yùn Chéng Shì Wén Xǐ Xiàn Téng Lí Lù 367 Hào Kē Yì Sì (Yóuzhèng Biānmǎ: 724468). Liánxì Diànhuà: 97190316. Diànzǐ Yóuxiāng: rmlps@duwvfarj.god.cn

Yong Zhu Llv, Ke Yi Temple, 367 Teng Li Road, Wenxi County, Yuncheng, Shanxi. Postal Code: 724468. Phone Number：97190316. E-mail：rmlps@duwvfarj.god.cn

835。姓名: 孔员澜

住址（酒店）：山西省长治市屯留区福钢路 535 号其钊酒店（邮政编码：621402）。联系电话：55474198。电子邮箱：ytzmc@yisbnjhl.biz.cn

Zhù zhǐ: Kǒng Yún Lán Shānxī Shěng Chángzhì Shì Tún Liú Qū Fú Gāng Lù 535 Hào Qí Zhāo Jiǔ Diàn（Yóuzhèng Biānmǎ：621402）. Liánxì Diànhuà：55474198. Diànzǐ Yóuxiāng：ytzmc@yisbnjhl.biz.cn

Yun Lan Kong, Qi Zhao Hotel, 535 Fu Gang Road, Tunliu District, Changzhi, Shanxi. Postal Code: 621402. Phone Number：55474198. E-mail：ytzmc@yisbnjhl.biz.cn

836。姓名: 管磊亮

住址（家庭）：山西省忻州市繁峙县王王路 479 号帆计公寓 22 层 661 室（邮政编码：486597）。联系电话：13671561。电子邮箱：ugfre@uchawdeb.cn

Zhù zhǐ: Guǎn Lěi Liàng Shānxī Shěng Xīnzhōu Shì Fán Zhì Xiàn Wáng Wàng Lù 479 Hào Fān Jì Gōng Yù 22 Céng 661 Shì (Yóuzhèng Biānmǎ：486597). Liánxì Diànhuà：13671561. Diànzǐ Yóuxiāng：ugfre@uchawdeb.cn

Lei Liang Guan, Room# 661, Floor# 22, Fan Ji Apartment, 479 Wang Wang Road, Fanshi County, Xinzhou, Shanxi. Postal Code: 486597. Phone Number：13671561. E-mail：ugfre@uchawdeb.cn

837。姓名: 郑员人

住址（公司）：山西省朔州市朔城区友轼路 990 号南亮有限公司（邮政编码：875284）。联系电话：37873856。电子邮箱：upcar@hkamlvbe.biz.cn

Zhù zhǐ: Zhèng Yún Rén Shānxī Shěng Shuò Zhōu Shì Shuò Chéngqū Yǒu Shì Lù 990 Hào Nán Liàng Yǒuxiàn Gōngsī（Yóuzhèng Biānmǎ：875284). Liánxì Diànhuà：37873856. Diànzǐ Yóuxiāng：upcar@hkamlvbe.biz.cn

Yun Ren Zheng, Nan Liang Corporation, 990 You Shi Road, Shuocheng District, Shuozhou, Shanxi. Postal Code: 875284. Phone Number：37873856. E-mail：upcar@hkamlvbe.biz.cn

838。姓名: 佟彬顺

住址（博物院）：山西省吕梁市方山县舟尚路 340 号吕梁博物馆（邮政编码：215653）。联系电话：86366427。电子邮箱：qsijf@umrlvijs.museums.cn

Zhù zhǐ: Tóng Bīn Shùn Shānxī Shěng Lǚliáng Shì Fāng Shān Xiàn Zhōu Shàng Lù 340 Hào Lǚliáng Bó Wù Guǎn（Yóuzhèng Biānmǎ：215653). Liánxì Diànhuà：86366427. Diànzǐ Yóuxiāng：qsijf@umrlvijs.museums.cn

Bin Shun Tong, Luliang Museum, 340 Zhou Shang Road, Fangshan County, Luliang, Shanxi. Postal Code: 215653. Phone Number：86366427. E-mail：qsijf@umrlvijs.museums.cn

839。姓名: 昌岐立

住址（医院）：山西省运城市稷山县进秀路 432 号珂中医院（邮政编码：504179）。联系电话：85288329。电子邮箱：zoxbj@kcwihaot.health.cn

Zhù zhǐ: Chāng Qí Lì Shānxī Shěng Yùn Chéng Shì Jì Shān Xiàn Jìn Xiù Lù 432 Hào Kē Zhòng Yī Yuàn（Yóuzhèng Biānmǎ：504179). Liánxì Diànhuà：85288329. Diànzǐ Yóuxiāng：zoxbj@kcwihaot.health.cn

Qi Li Chang, Ke Zhong Hospital, 432 Jin Xiu Road, Jishan County, Yuncheng, Shanxi. Postal Code: 504179. Phone Number：85288329. E-mail：zoxbj@kcwihaot.health.cn

840。姓名: 濮阳中祥

住址（酒店）：山西省朔州市应县沛征路 940 号坚郁酒店（邮政编码：260867）。联系电话：76696214。电子邮箱：zdeua@uhkgmnay.biz.cn

Zhù zhǐ: Púyáng Zhòng Xiáng Shānxī Shěng Shuò Zhōu Shì Yìng Xiàn Bèi Zhēng Lù 940 Hào Jiān Yù Jiǔ Diàn (Yóuzhèng Biānmǎ: 260867). Liánxì Diànhuà: 76696214. Diànzǐ Yóuxiāng: zdeua@uhkgmnay.biz.cn

Zhong Xiang Puyang, Jian Yu Hotel, 940 Bei Zheng Road, Ying County, Shuozhou, Shanxi. Postal Code: 260867. Phone Number: 76696214. E-mail: zdeua@uhkgmnay.biz.cn

CHAPTER 4: NAME, SURNAME & ADDRESSES (91-120)

841。姓名: 强立舟

住址（公司）：山西省太原市万柏林区鹤龙路 409 号福甫有限公司（邮政编码：267182）。联系电话：57098004。电子邮箱：hbynr@tlevodpn.biz.cn

Zhù zhǐ: Qiáng Lì Zhōu Shānxī Shěng Tàiyuán Shì Wàn Bólín Qū Hè Lóng Lù 409 Hào Fú Fǔ Yǒuxiàn Gōngsī (Yóuzhèng Biānmǎ: 267182). Liánxì Diànhuà: 57098004. Diànzǐ Yóuxiāng: hbynr@tlevodpn.biz.cn

Li Zhou Qiang, Fu Fu Corporation, 409 He Long Road, Wan Bolin District, Taiyuan, Shanxi. Postal Code: 267182. Phone Number: 57098004. E-mail: hbynr@tlevodpn.biz.cn

842。姓名: 澹台不龙

住址（博物院）：山西省朔州市山阴县石铁路 625 号朔州博物馆（邮政编码：135297）。联系电话：87251174。电子邮箱：yknwj@gxkowfhu.museums.cn

Zhù zhǐ: Tántái Bù Lóng Shānxī Shěng Shuò Zhōu Shì Shān Yīn Xiàn Dàn Fū Lù 625 Hào uò Zōu Bó Wù Guǎn (Yóuzhèng Biānmǎ: 135297). Liánxì Diànhuà: 87251174. Diànzǐ Yóuxiāng: yknwj@gxkowfhu.museums.cn

Bu Long Tantai, Shuozhou Museum, 625 Dan Fu Road, Sanyin County, Shuozhou, Shanxi. Postal Code: 135297. Phone Number: 87251174. E-mail: yknwj@gxkowfhu.museums.cn

843。姓名: 年化刚

住址（公共汽车站）：山西省长治市潞城区炯甫路 172 号柱守站（邮政编码：881317）。联系电话：25907316。电子邮箱：xyuzg@gmpchzye.transport.cn

Zhù zhǐ: Nián Huā Gāng Shānxī Shěng Chángzhì Shì Lù Chéngqū Jiǒng Fǔ Lù 172 Hào Zhù Shǒu Zhàn (Yóuzhèng Biānmǎ: 881317). Liánxì Diànhuà: 25907316. Diànzǐ Yóuxiāng: xyuzg@gmpchzye.transport.cn

Hua Gang Nian, Zhu Shou Bus Station, 172 Jiong Fu Road, Lucheng District, Changzhi, Shanxi. Postal Code: 881317. Phone Number：25907316. E-mail：xyuzg@gmpchzye.transport.cn

844。姓名: 蒋钢译

住址（博物院）：山西省长治市黎城县不红路 142 号长治博物馆（邮政编码：888676）。联系电话：79044553。电子邮箱：ugmwr@osbtmhqg.museums.cn

Zhù zhǐ: Jiǎng Gāng Yì Shānxī Shěng Chángzhì Shì Lí Chéng Xiàn Bù Hóng Lù 142 Hào Cángz Bó Wù Guǎn（Yóuzhèng Biānmǎ：888676). Liánxì Diànhuà：79044553. Diànzǐ Yóuxiāng：ugmwr@osbtmhqg.museums.cn

Gang Yi Jiang, Changzhi Museum, 142 Bu Hong Road, Licheng County, Changzhi, Shanxi. Postal Code: 888676. Phone Number：79044553. E-mail：ugmwr@osbtmhqg.museums.cn

845。姓名: 彭盛奎

住址（公司）：山西省临汾市安泽县渊领路 109 号红翼有限公司（邮政编码：365939）。联系电话：53061198。电子邮箱：qzmei@pwxuldce.biz.cn

Zhù zhǐ: Péng Shèng Kuí Shānxī Shěng Línfén Shì Ān Zé Xiàn Yuān Lǐng Lù 109 Hào Hóng Yì Yǒuxiàn Gōngsī（Yóuzhèng Biānmǎ：365939). Liánxì Diànhuà：53061198. Diànzǐ Yóuxiāng：qzmei@pwxuldce.biz.cn

Sheng Kui Peng, Hong Yi Corporation, 109 Yuan Ling Road, Anze County, Linfen, Shanxi. Postal Code: 365939. Phone Number：53061198. E-mail：qzmei@pwxuldce.biz.cn

846。姓名: 诸圣稼

住址（公园）：山西省晋中市祁县腾中路 906 号盛铁公园（邮政编码：885652）。联系电话：70819830。电子邮箱：rcdah@phvacdmw.parks.cn

Zhù zhǐ: Zhū Shèng Jià Shānxī Shěng Jìn Zhōng Shì Qí Xiàn Téng Zhōng Lù 906 Hào Shèng Fū Gōng Yuán (Yóuzhèng Biānmǎ：885652). Liánxì Diànhuà：70819830. Diànzǐ Yóuxiāng：rcdah@phvacdmw.parks.cn

Sheng Jia Zhu, Sheng Fu Park, 906 Teng Zhong Road, Qi County, Jinzhong, Shanxi. Postal Code: 885652. Phone Number：70819830. E-mail：rcdah@phvacdmw.parks.cn

847。姓名: 公孙腾王

住址（博物院）：山西省晋中市祁县智桥路 825 号晋中博物馆（邮政编码：308278）。联系电话：22344004。电子邮箱：eswyd@mrfzcpjy.museums.cn

Zhù zhǐ: Gōngsūn Téng Wàng Shānxī Shěng Jìn Zhōng Shì Qí Xiàn Zhì Qiáo Lù 825 Hào Jn Zōng Bó Wù Guǎn (Yóuzhèng Biānmǎ：308278). Liánxì Diànhuà：22344004. Diànzǐ Yóuxiāng：eswyd@mrfzcpjy.museums.cn

Teng Wang Gongsun, Jinzhong Museum, 825 Zhi Qiao Road, Qi County, Jinzhong, Shanxi. Postal Code: 308278. Phone Number：22344004. E-mail：eswyd@mrfzcpjy.museums.cn

848。姓名: 单乙隆

住址（医院）：山西省晋城市沁水县国钊路 768 号绅绅医院（邮政编码：490908）。联系电话：83663348。电子邮箱：fblhq@rtlejbnq.health.cn

Zhù zhǐ: Shàn Yǐ Lóng Shānxī Shěng Jìnchéng Shì Qìn Shuǐ Xiàn Guó Zhāo Lù 768 Hào Shēn Shēn Yī Yuàn (Yóuzhèng Biānmǎ：490908). Liánxì Diànhuà：83663348. Diànzǐ Yóuxiāng：fblhq@rtlejbnq.health.cn

Yi Long Shan, Shen Shen Hospital, 768 Guo Zhao Road, Qinshui County, Jincheng, Shanxi. Postal Code: 490908. Phone Number：83663348. E-mail：fblhq@rtlejbnq.health.cn

849。姓名: 梁丘帆翰

住址（公园）：山西省临汾市霍州市洵鸣路 210 号冠源公园（邮政编码：983404）。联系电话：84914026。电子邮箱：xrncd@hidreobp.parks.cn

Zhù zhǐ: Liángqiū Fān Hàn Shānxī Shěng Línfén Shì Huò Zhōu Shì Xún Míng Lù 210 Hào Guàn Yuán Gōng Yuán（Yóuzhèng Biānmǎ：983404). Liánxì Diànhuà：84914026. Diànzǐ Yóuxiāng：xrncd@hidreobp.parks.cn

Fan Han Liangqiu, Guan Yuan Park, 210 Xun Ming Road, Huozhou, Linfen, Shanxi. Postal Code: 983404. Phone Number：84914026. E-mail：xrncd@hidreobp.parks.cn

850。姓名: 白臻不

住址（湖泊）：山西省阳泉市盂县楚歧路 878 号翼员湖（邮政编码：492045）。联系电话：24596414。电子邮箱：hxclq@kfxhpcen.lakes.cn

Zhù zhǐ: Bái Zhēn Bù Shānxī Shěng Yángquán Shì Yú Xiàn Chǔ Qí Lù 878 Hào Yì Yuán Hú（Yóuzhèng Biānmǎ：492045). Liánxì Diànhuà：24596414. Diànzǐ Yóuxiāng：hxclq@kfxhpcen.lakes.cn

Zhen Bu Bai, Yi Yuan Lake, 878 Chu Qi Road, Yu County, Yangquan, Shanxi. Postal Code: 492045. Phone Number：24596414. E-mail：hxclq@kfxhpcen.lakes.cn

851。姓名: 关际稼

住址（公园）：山西省晋城市城区豹院路 652 号亚晖公园（邮政编码：268117）。联系电话：31663252。电子邮箱：idshw@vqrilgme.parks.cn

Zhù zhǐ: Guān Jì Jià Shānxī Shěng Jìnchéng Shì Chéngqū Bào Yuàn Lù 652 Hào Yà Huī Gōng Yuán（Yóuzhèng Biānmǎ：268117). Liánxì Diànhuà：31663252. Diànzǐ Yóuxiāng：idshw@vqrilgme.parks.cn

Ji Jia Guan, Ya Hui Park, 652 Bao Yuan Road, Urban Area, Jincheng, Shanxi. Postal Code: 268117. Phone Number：31663252. E-mail：idshw@vqrilgme.parks.cn

852。姓名: 幸冠沛

住址（博物院）：山西省朔州市怀仁市跃全路 214 号朔州博物馆（邮政编码：941113）。联系电话：16335524。电子邮箱：wqryz@qmdkjhsl.museums.cn

Zhù zhǐ: Xìng Guàn Bèi Shānxī Shěng Shuò Zhōu Shì Huái Rén Shì Yuè Quán Lù 214 Hào uò Zōu Bó Wù Guǎn（Yóuzhèng Biānmǎ：941113）. Liánxì Diànhuà：16335524. Diànzǐ Yóuxiāng：wqryz@qmdkjhsl.museums.cn

Guan Bei Xing, Shuozhou Museum, 214 Yue Quan Road, Huairen City, Shuozhou, Shanxi. Postal Code: 941113. Phone Number：16335524. E-mail：wqryz@qmdkjhsl.museums.cn

853。姓名：薛骥骥

住址（寺庙）：山西省太原市尖草坪区全沛路 180 号人不寺（邮政编码：847648）。联系电话：80408508。电子邮箱：dfjcr@hixqymku.god.cn

Zhù zhǐ: Xuē Jì Jì Shānxī Shěng Tàiyuán Shì Jiān Cǎopíng Qū Quán Pèi Lù 180 Hào Rén Bù Sì（Yóuzhèng Biānmǎ：847648）. Liánxì Diànhuà：80408508. Diànzǐ Yóuxiāng：dfjcr@hixqymku.god.cn

Ji Ji Xue, Ren Bu Temple, 180 Quan Pei Road, Jiancaoping District, Taiyuan, Shanxi. Postal Code: 847648. Phone Number：80408508. E-mail：dfjcr@hixqymku.god.cn

854。姓名：匡葆柱

住址（公园）：山西省晋中市灵石县坤原路 194 号浩鹤公园（邮政编码：378836）。联系电话：14046632。电子邮箱：clxgm@grtfulvd.parks.cn

Zhù zhǐ: Kuāng Bǎo Zhù Shānxī Shěng Jìn Zhōng Shì Líng Shí Xiàn Kūn Yuán Lù 194 Hào Hào Hè Gōng Yuán（Yóuzhèng Biānmǎ：378836）. Liánxì Diànhuà：14046632. Diànzǐ Yóuxiāng：clxgm@grtfulvd.parks.cn

Bao Zhu Kuang, Hao He Park, 194 Kun Yuan Road, Lingshi County, Jinzhong, Shanxi. Postal Code: 378836. Phone Number：14046632. E-mail：clxgm@grtfulvd.parks.cn

855。姓名: 相化钦

住址（大学）：山西省太原市晋源区亭中大学楚豹路 516 号（邮政编码：797760）。联系电话：71588564。电子邮箱：olzgd@jvcglxtn.edu.cn

Zhù zhǐ: Xiàng Huà Qīn Shānxī Shěng Tàiyuán Shì Jìn Yuán Qū Tíng Zhòng DàxuéChǔ Bào Lù 516 Hào (Yóuzhèng Biānmǎ：797760). Liánxì Diànhuà：71588564. Diànzǐ Yóuxiāng：olzgd@jvcglxtn.edu.cn

Hua Qin Xiang, Ting Zhong University, 516 Chu Bao Road, Jinyuan District, Taiyuan, Shanxi. Postal Code: 797760. Phone Number：71588564. E-mail：olzgd@jvcglxtn.edu.cn

856。姓名: 狄成际

住址（医院）：山西省晋城市高平市柱愈路 736 号易谢医院（邮政编码：703424）。联系电话：58925772。电子邮箱：sgiuo@szjcyipe.health.cn

Zhù zhǐ: Dí Chéng Jì Shānxī Shěng Jìnchéng Shì Gāopíng Shì Zhù Yù Lù 736 Hào Yì Xiè Yī Yuàn (Yóuzhèng Biānmǎ：703424). Liánxì Diànhuà：58925772. Diànzǐ Yóuxiāng：sgiuo@szjcyipe.health.cn

Cheng Ji Di, Yi Xie Hospital, 736 Zhu Yu Road, Gaoping City, Jincheng, Shanxi. Postal Code: 703424. Phone Number：58925772. E-mail：sgiuo@szjcyipe.health.cn

857。姓名: 强锤毅

住址（公司）：山西省太原市晋源区冤院路 402 号跃食有限公司（邮政编码：964106）。联系电话：66490110。电子邮箱：apmef@kxawjuzh.biz.cn

Zhù zhǐ: Qiáng Chuí Yì Shānxī Shěng Tàiyuán Shì Jìn Yuán Qū Miǎn Yuàn Lù 402 Hào Yuè Shí Yǒuxiàn Gōngsī (Yóuzhèng Biānmǎ：964106). Liánxì Diànhuà：66490110. Diànzǐ Yóuxiāng：apmef@kxawjuzh.biz.cn

Chui Yi Qiang, Yue Shi Corporation, 402 Mian Yuan Road, Jinyuan District, Taiyuan, Shanxi. Postal Code: 964106. Phone Number：66490110. E-mail：apmef@kxawjuzh.biz.cn

858。姓名: 荣自晗

住址（机场）：山西省运城市平陆县陆水路 518 号运城甫威国际机场（邮政编码：331419）。联系电话：68950075。电子邮箱：yfvxw@mhyikjgw.airports.cn

Zhù zhǐ: Róng Zì Hán Shānxī Shěng Yùn Chéng Shì Píng Lù Xiàn Lù Shuǐ Lù 518 Hào Yùn Céng Fǔ Wēi Guó Jì Jī Chǎng（Yóuzhèng Biānmǎ：331419). Liánxì Diànhuà：68950075. Diànzǐ Yóuxiāng：yfvxw@mhyikjgw.airports.cn

Zi Han Rong, Yuncheng Fu Wei International Airport, 518 Lu Shui Road, Pinglu County, Yuncheng, Shanxi. Postal Code: 331419. Phone Number：68950075. E-mail：yfvxw@mhyikjgw.airports.cn

859。姓名: 邬学际

住址（医院）：山西省阳泉市郊区守懂路 782 号威亚医院（邮政编码：430763）。联系电话：21747033。电子邮箱：hzgep@bmycjkfn.health.cn

Zhù zhǐ: Wū Xué Jì Shānxī Shěng Yángquán Shì Jiāoqū Shǒu Dǒng Lù 782 Hào Wēi Yà Yī Yuàn（Yóuzhèng Biānmǎ：430763). Liánxì Diànhuà：21747033. Diànzǐ Yóuxiāng：hzgep@bmycjkfn.health.cn

Xue Ji Wu, Wei Ya Hospital, 782 Shou Dong Road, Jiao District, Yangquan, Shanxi. Postal Code: 430763. Phone Number：21747033. E-mail：hzgep@bmycjkfn.health.cn

860。姓名: 戈刚斌

住址（火车站）：山西省晋城市沁水县陆原路 764 号晋城站（邮政编码：335801）。联系电话：49296028。电子邮箱：tsgpn@torgqbzn.chr.cn

Zhù zhǐ: Gē Gāng Bīn Shānxī Shěng Jìnchéng Shì Qìn Shuǐ Xiàn Liù Yuán Lù 764 Hào Jncéng Zhàn (Yóuzhèng Biānmǎ：335801). Liánxì Diànhuà：49296028. Diànzǐ Yóuxiāng：tsgpn@torgqbzn.chr.cn

Gang Bin Ge, Jincheng Railway Station, 764 Liu Yuan Road, Qinshui County, Jincheng, Shanxi. Postal Code: 335801. Phone Number：49296028. E-mail：tsgpn@torgqbzn.chr.cn

861。姓名: 鲍阳翰

住址（广场）：山西省临汾市侯马市成谢路 581 号盛沛广场（邮政编码：163578）。联系电话：34087152。电子邮箱：shzfn@mkdyrqvn.squares.cn

Zhù zhǐ: Bào Yáng Hàn Shānxī Shěng Línfén Shì Hóu Mǎ Shì Chéng Xiè Lù 581 Hào Shèng Bèi Guǎng Chǎng (Yóuzhèng Biānmǎ：163578). Liánxì Diànhuà：34087152. Diànzǐ Yóuxiāng：shzfn@mkdyrqvn.squares.cn

Yang Han Bao, Sheng Bei Square, 581 Cheng Xie Road, Houma, Linfen, Shanxi. Postal Code: 163578. Phone Number：34087152. E-mail：shzfn@mkdyrqvn.squares.cn

862。姓名: 章茂跃

住址（医院）：山西省临汾市汾西县全涛路 647 号鸣桥医院（邮政编码：412661）。联系电话：97394181。电子邮箱：yqmpc@wfrlined.health.cn

Zhù zhǐ: Zhāng Mào Yuè Shānxī Shěng Línfén Shì Fén Xī Xiàn Quán Tāo Lù 647 Hào Míng Qiáo Yī Yuàn (Yóuzhèng Biānmǎ：412661). Liánxì Diànhuà：97394181. Diànzǐ Yóuxiāng：yqmpc@wfrlined.health.cn

Mao Yue Zhang, Ming Qiao Hospital, 647 Quan Tao Road, Fenxi County, Linfen, Shanxi. Postal Code: 412661. Phone Number：97394181. E-mail：yqmpc@wfrlined.health.cn

863。姓名: 符陆钊

住址（寺庙）：山西省运城市绛县龙焯路 719 号谢翰寺（邮政编码：711689）。联系电话：52257441。电子邮箱：thgje@wgczoxsd.god.cn

Zhù zhǐ: Fú Lù Zhāo Shānxī Shěng Yùn Chéng Shì Jiàng Xiàn Lóng Zhuō Lù 719 Hào Xiè Hàn Sì（Yóuzhèng Biānmǎ：711689). Liánxì Diànhuà：52257441. Diànzǐ Yóuxiāng：thgje@wgczoxsd.god.cn

Lu Zhao Fu, Xie Han Temple, 719 Long Zhuo Road, Jiang County, Yuncheng, Shanxi. Postal Code: 711689. Phone Number：52257441. E-mail：thgje@wgczoxsd.god.cn

864。姓名: 牛大秀

住址（公园）：山西省太原市迎泽区翰盛路 386 号恩沛公园（邮政编码：965858）。联系电话：25719617。电子邮箱：fvkse@qsznbctd.parks.cn

Zhù zhǐ: Niú Dài Xiù Shānxī Shěng Tàiyuán Shì Yíng Zé Qū Hàn Shèng Lù 386 Hào Ēn Pèi Gōng Yuán（Yóuzhèng Biānmǎ：965858). Liánxì Diànhuà：25719617. Diànzǐ Yóuxiāng：fvkse@qsznbctd.parks.cn

Dai Xiu Niu, En Pei Park, 386 Han Sheng Road, Yingze District, Taiyuan, Shanxi. Postal Code: 965858. Phone Number：25719617. E-mail：fvkse@qsznbctd.parks.cn

865。姓名: 葛大石

住址（湖泊）：山西省吕梁市交城县冠全路 937 号继人湖（邮政编码：751384）。联系电话：28857693。电子邮箱：tlirg@lrtgfynm.lakes.cn

Zhù zhǐ: Gě Dà Shí Shānxī Shěng Lǚliáng Shì Jiāo Chéng Xiàn Guàn Quán Lù 937 Hào Jì Rén Hú（Yóuzhèng Biānmǎ：751384). Liánxì Diànhuà：28857693. Diànzǐ Yóuxiāng：tlirg@lrtgfynm.lakes.cn

Da Shi Ge, Ji Ren Lake, 937 Guan Quan Road, Jiaocheng County, Luliang, Shanxi. Postal Code: 751384. Phone Number：28857693. E-mail：tlirg@lrtgfynm.lakes.cn

866。姓名: 阮光人

住址（公园）：山西省大同市天镇县王钊路 322 号郁铁公园（邮政编码：303280）。联系电话：77687082。电子邮箱：inbsm@xmizkshp.parks.cn

Zhù zhǐ: Ruǎn Guāng Rén Shānxī Shěng Dàtóng Shì Tiān Zhèn Xiàn Wáng Zhāo Lù 322 Hào Yù Tiě Gōng Yuán （Yóuzhèng Biānmǎ：303280）. Liánxì Diànhuà：77687082. Diànzǐ Yóuxiāng：inbsm@xmizkshp.parks.cn

Guang Ren Ruan, Yu Tie Park, 322 Wang Zhao Road, Tianzhen County, Datong, Shanxi. Postal Code: 303280. Phone Number：77687082. E-mail：inbsm@xmizkshp.parks.cn

867。姓名: 奚人员

住址（机场）：山西省临汾市汾西县自白路 151 号临汾宝德国际机场（邮政编码：256742）。联系电话：46785139。电子邮箱：rdpfn@jeycwkud.airports.cn

Zhù zhǐ: Xī Rén Yún Shānxī Shěng Línfén Shì Fén Xī Xiàn Zì Bái Lù 151 Hào Línfén Bǎo Dé Guó Jì Jī Chǎng （Yóuzhèng Biānmǎ：256742）. Liánxì Diànhuà：46785139. Diànzǐ Yóuxiāng：rdpfn@jeycwkud.airports.cn

Ren Yun Xi, Linfen Bao De International Airport, 151 Zi Bai Road, Fenxi County, Linfen, Shanxi. Postal Code: 256742. Phone Number：46785139. E-mail：rdpfn@jeycwkud.airports.cn

868。姓名: 韶禹兵

住址（大学）：山西省忻州市宁武县金跃大学铭译路 132 号（邮政编码：516317）。联系电话：61016056。电子邮箱：dpuxz@vfirloyk.edu.cn

Zhù zhǐ: Sháo Yǔ Bīng Shānxī Shěng Xīnzhōu Shì Níng Wǔ Xiàn Jīn Yuè DàxuéMíng Yì Lù 132 Hào （Yóuzhèng Biānmǎ：516317）. Liánxì Diànhuà：61016056. Diànzǐ Yóuxiāng：dpuxz@vfirloyk.edu.cn

Yu Bing Shao, Jin Yue University, 132 Ming Yi Road, Ningwu County, Xinzhou, Shanxi. Postal Code: 516317. Phone Number：61016056. E-mail：dpuxz@vfirloyk.edu.cn

869。姓名: 厍辙石

住址（湖泊）：山西省长治市潞城区食石路 134 号友中湖（邮政编码：803935）。联系电话：79810171。电子邮箱：zeovn@czdwnxlr.lakes.cn

Zhù zhǐ: Shè Zhé Dàn Shānxī Shěng Chángzhì Shì Lù Chéngqū Yì Dàn Lù 134 Hào Yǒu Zhòng Hú（Yóuzhèng Biānmǎ：803935). Liánxì Diànhuà：79810171. Diànzǐ Yóuxiāng：zeovn@czdwnxlr.lakes.cn

Zhe Dan She, You Zhong Lake, 134 Yi Dan Road, Lucheng District, Changzhi, Shanxi. Postal Code: 803935. Phone Number：79810171. E-mail：zeovn@czdwnxlr.lakes.cn

870。姓名: 祝晖际

住址（湖泊）：山西省运城市临猗县进沛路 135 号石铁湖（邮政编码：420185）。联系电话：53749564。电子邮箱：mufce@ckoiyfml.lakes.cn

Zhù zhǐ: Zhù Huī Jì Shānxī Shěng Yùn Chéng Shì Lín Yī Xiàn Jìn Bèi Lù 135 Hào Shí Tiě Hú（Yóuzhèng Biānmǎ：420185). Liánxì Diànhuà：53749564. Diànzǐ Yóuxiāng：mufce@ckoiyfml.lakes.cn

Hui Ji Zhu, Shi Tie Lake, 135 Jin Bei Road, Linyi County, Yuncheng, Shanxi. Postal Code: 420185. Phone Number：53749564. E-mail：mufce@ckoiyfml.lakes.cn

CHAPTER 5: NAME, SURNAME & ADDRESSES (121-150)

871。姓名: 沃刚腾

住址（博物院）：山西省运城市稷山县宽德路 549 号运城博物馆（邮政编码：311903）。联系电话：90109990。电子邮箱：ceour@rwmkibcf.museums.cn

Zhù zhǐ: Wò Gāng Téng Shānxī Shěng Yùn Chéng Shì Jì Shān Xiàn Kuān Dé Lù 549 Hào Yùn Céng Bó Wù Guǎn (Yóuzhèng Biānmǎ：311903). Liánxì Diànhuà：90109990. Diànzǐ Yóuxiāng：ceour@rwmkibcf.museums.cn

Gang Teng Wo, Yuncheng Museum, 549 Kuan De Road, Jishan County, Yuncheng, Shanxi. Postal Code: 311903. Phone Number：90109990. E-mail：ceour@rwmkibcf.museums.cn

872。姓名: 拓跋亮毅

住址（湖泊）：山西省长治市平顺县土洵路 890 号坡福湖（邮政编码：149850）。联系电话：55610867。电子邮箱：tkwsf@vmunszrp.lakes.cn

Zhù zhǐ: Tuòbá Liàng Yì Shānxī Shěng Chángzhì Shì Píngshùn Xiàn Tǔ Xún Lù 890 Hào Pō Fú Hú (Yóuzhèng Biānmǎ：149850). Liánxì Diànhuà：55610867. Diànzǐ Yóuxiāng：tkwsf@vmunszrp.lakes.cn

Liang Yi Tuoba, Po Fu Lake, 890 Tu Xun Road, Pingshun County, Changzhi, Shanxi. Postal Code: 149850. Phone Number：55610867. E-mail：tkwsf@vmunszrp.lakes.cn

873。姓名: 刁禹嘉

住址（公共汽车站）：山西省晋城市陵川县鸣世路 519 号锤福站（邮政编码：544766）。联系电话：71654022。电子邮箱：cqwks@btgarzxn.transport.cn

Zhù zhǐ: Diāo Yǔ Jiā Shānxī Shěng Jìnchéng Shì Líng Chuān Xiàn Míng Shì Lù 519 Hào Chuí Fú Zhàn (Yóuzhèng Biānmǎ：544766). Liánxì Diànhuà：71654022. Diànzǐ Yóuxiāng：cqwks@btgarzxn.transport.cn

Yu Jia Diao, Chui Fu Bus Station, 519 Ming Shi Road, Lingchuan County, Jincheng, Shanxi. Postal Code: 544766. Phone Number：71654022. E-mail：cqwks@btgarzxn.transport.cn

874。姓名: 梅勇柱

住址（火车站）：山西省忻州市岢岚县国陶路 948 号忻州站（邮政编码：178716）。联系电话：52416215。电子邮箱：njzgo@vaoxreil.chr.cn

Zhù zhǐ: Méi Yǒng Zhù Shānxī Shěng Xīnzhōu Shì Kě Lán Xiàn Guó Táo Lù 948 Hào Xīnzōu Zhàn (Yóuzhèng Biānmǎ：178716). Liánxì Diànhuà：52416215. Diànzǐ Yóuxiāng：njzgo@vaoxreil.chr.cn

Yong Zhu Mei, Xinzhou Railway Station, 948 Guo Tao Road, Kelan County, Xinzhou, Shanxi. Postal Code: 178716. Phone Number：52416215. E-mail：njzgo@vaoxreil.chr.cn

875。姓名: 倪食波

住址（公园）：山西省吕梁市兴县轼王路 564 号胜化公园（邮政编码：581276）。联系电话：83872238。电子邮箱：dpgqt@thplcrdv.parks.cn

Zhù zhǐ: Ní Sì Bō Shānxī Shěng Lǚliáng Shì Xìng Xiàn Shì Wàng Lù 564 Hào Shēng Huà Gōng Yuán (Yóuzhèng Biānmǎ：581276). Liánxì Diànhuà：83872238. Diànzǐ Yóuxiāng：dpgqt@thplcrdv.parks.cn

Si Bo Ni, Sheng Hua Park, 564 Shi Wang Road, Xing County, Luliang, Shanxi. Postal Code: 581276. Phone Number：83872238. E-mail：dpgqt@thplcrdv.parks.cn

876。姓名: 盖钢钊

住址（寺庙）：山西省大同市灵丘县队食路 291 号嘉翰寺（邮政编码：130111）。联系电话：36914476。电子邮箱：jqrut@zfamqiyw.god.cn

Zhù zhǐ: Gài Gāng Zhāo Shānxī Shěng Dàtóng Shì Líng Qiū Xiàn Duì Shí Lù 291 Hào Jiā Hàn Sì (Yóuzhèng Biānmǎ： 130111). Liánxì Diànhuà： 36914476. Diànzǐ Yóuxiāng： jqrut@zfamqiyw.god.cn

Gang Zhao Gai, Jia Han Temple, 291 Dui Shi Road, Lingqiu County, Datong, Shanxi. Postal Code: 130111. Phone Number： 36914476. E-mail： jqrut@zfamqiyw.god.cn

877。姓名: 寇岐沛

住址（火车站）：山西省忻州市河曲县奎黎路 942 号忻州站（邮政编码：357644）。联系电话：72470468。电子邮箱：jpnwa@nvtcgjqh.chr.cn

Zhù zhǐ: Kòu Qí Pèi Shānxī Shěng Xīnzhōu Shì Héqū Xiàn Kuí Lí Lù 942 Hào Xīnzōu Zhàn (Yóuzhèng Biānmǎ：357644). Liánxì Diànhuà：72470468. Diànzǐ Yóuxiāng： jpnwa@nvtcgjqh.chr.cn

Qi Pei Kou, Xinzhou Railway Station, 942 Kui Li Road, Hequ County, Xinzhou, Shanxi. Postal Code: 357644. Phone Number： 72470468. E-mail： jpnwa@nvtcgjqh.chr.cn

878。姓名: 娄桥秀

住址（博物院）：山西省大同市天镇县风顺路 843 号大同博物馆（邮政编码：543189）。联系电话：78579928。电子邮箱：gqlwf@jytdfhwr.museums.cn

Zhù zhǐ: Lóu Qiáo Xiù Shānxī Shěng Dàtóng Shì Tiān Zhèn Xiàn Fēng Shùn Lù 843 Hào Dàtóng Bó Wù Guǎn (Yóuzhèng Biānmǎ： 543189). Liánxì Diànhuà： 78579928. Diànzǐ Yóuxiāng： gqlwf@jytdfhwr.museums.cn

Qiao Xiu Lou, Datong Museum, 843 Feng Shun Road, Tianzhen County, Datong, Shanxi. Postal Code: 543189. Phone Number： 78579928. E-mail： gqlwf@jytdfhwr.museums.cn

879。姓名: 母绅尚

住址（家庭）：山西省朔州市右玉县来磊路 184 号中兵公寓 34 层 388 室
（邮政编码：346030）。联系电话：72953150。电子邮箱：
fwnyv@akjyqmnc.cn

Zhù zhǐ: Mǔ Shēn Shàng Shānxī Shěng Shuò Zhōu Shì Yòu Yù Xiàn Lái Lěi Lù 184
Hào Zhōng Bīng Gōng Yù 34 Céng 388 Shì (Yóuzhèng Biānmǎ：346030). Liánxì
Diànhuà：72953150. Diànzǐ Yóuxiāng：fwnyv@akjyqmnc.cn

Shen Shang Mu, Room# 388, Floor# 34, Zhong Bing Apartment, 184 Lai Lei Road,
Youyu County, Shuozhou, Shanxi. Postal Code: 346030. Phone Number：
72953150. E-mail：fwnyv@akjyqmnc.cn

880。姓名:薛谢禹

住址（博物院）：山西省运城市垣曲县亚化路 296 号运城博物馆（邮政编码：
829757）。联系电话：55337060。电子邮箱：drqpb@qvgldizs.museums.cn

Zhù zhǐ: Xuē Xiè Yǔ Shānxī Shěng Yùn Chéng Shì Yuán Qū Xiàn Yà Huà Lù 296 Hào
Yùn Céng Bó Wù Guǎn (Yóuzhèng Biānmǎ：829757). Liánxì Diànhuà：55337060.
Diànzǐ Yóuxiāng：drqpb@qvgldizs.museums.cn

Xie Yu Xue, Yuncheng Museum, 296 Ya Hua Road, Yuanqu County, Yuncheng,
Shanxi. Postal Code: 829757. Phone Number：55337060. E-mail：
drqpb@qvgldizs.museums.cn

881。姓名:阳澜食

住址（公园）：山西省朔州市怀仁市兵仲路 116 号先宝公园（邮政编码：
585597）。联系电话：29299938。电子邮箱：iapgq@mhfxarjv.parks.cn

Zhù zhǐ: Yáng Lán Shí Shānxī Shěng Shuò Zhōu Shì Huái Rén Shì Bīng Zhòng Lù 116
Hào Xiān Bǎo Gōng Yuán (Yóuzhèng Biānmǎ：585597). Liánxì Diànhuà：
29299938. Diànzǐ Yóuxiāng：iapgq@mhfxarjv.parks.cn

Lan Shi Yang, Xian Bao Park, 116 Bing Zhong Road, Huairen City, Shuozhou, Shanxi. Postal Code: 585597. Phone Number：29299938. E-mail：iapgq@mhfxarjv.parks.cn

882。姓名: 嵇坚仓

住址（广场）：山西省太原市迎泽区龙磊路 297 号仲金广场（邮政编码：291632）。联系电话：14203434。电子邮箱：cbmha@gvrcqnjw.squares.cn

Zhù zhǐ: Jī Jiān Cāng Shānxī Shěng Tàiyuán Shì Yíng Zé Qū Lóng Lěi Lù 297 Hào Zhòng Jīn Guǎng Chǎng（Yóuzhèng Biānmǎ：291632). Liánxì Diànhuà：14203434. Diànzǐ Yóuxiāng：cbmha@gvrcqnjw.squares.cn

Jian Cang Ji, Zhong Jin Square, 297 Long Lei Road, Yingze District, Taiyuan, Shanxi. Postal Code: 291632. Phone Number：14203434. E-mail：cbmha@gvrcqnjw.squares.cn

883。姓名: 羊舌勇禹

住址（酒店）：山西省大同市平城区毅澜路 997 号化来酒店（邮政编码：699000）。联系电话：78887738。电子邮箱：ufxrh@flrucmkx.biz.cn

Zhù zhǐ: Yángshé Yǒng Yǔ Shānxī Shěng Dàtóng Shì Píng Chéng Qū Yì Lán Lù 997 Hào Huà Lái Jiǔ Diàn（Yóuzhèng Biānmǎ：699000). Liánxì Diànhuà：78887738. Diànzǐ Yóuxiāng：ufxrh@flrucmkx.biz.cn

Yong Yu Yangshe, Hua Lai Hotel, 997 Yi Lan Road, Pingcheng District, Datong, Shanxi. Postal Code: 699000. Phone Number：78887738. E-mail：ufxrh@flrucmkx.biz.cn

884。姓名: 伊轶威

住址（公共汽车站）：山西省晋城市阳城县祥亚路 801 号智禹站（邮政编码：209652）。联系电话：75210144。电子邮箱：galdz@hejkbmqv.transport.cn

Zhù zhǐ: Yī Yì Wēi Shānxī Shěng Jìnchéng Shì Yáng Chéng Xiàn Xiáng Yà Lù 801 Hào Zhì Yǔ Zhàn (Yóuzhèng Biānmǎ: 209652). Liánxì Diànhuà: 75210144. Diànzǐ Yóuxiāng: galdz@hejkbmqv.transport.cn

Yi Wei Yi, Zhi Yu Bus Station, 801 Xiang Ya Road, Yangcheng County, Jincheng, Shanxi. Postal Code: 209652. Phone Number: 75210144. E-mail: galdz@hejkbmqv.transport.cn

885。姓名: 有铭启

住址（博物院）：山西省吕梁市石楼县亭陶路 836 号吕梁博物馆（邮政编码: 626375）。联系电话: 58939881。电子邮箱: ywizo@xegfaspr.museums.cn

Zhù zhǐ: Yǒu Míng Qǐ Shānxī Shěng Lǚliáng Shì Shí Lóu Xiàn Tíng Táo Lù 836 Hào Lǚliáng Bó Wù Guǎn (Yóuzhèng Biānmǎ: 626375). Liánxì Diànhuà: 58939881. Diànzǐ Yóuxiāng: ywizo@xegfaspr.museums.cn

Ming Qi You, Luliang Museum, 836 Ting Tao Road, Shilou County, Luliang, Shanxi. Postal Code: 626375. Phone Number: 58939881. E-mail: ywizo@xegfaspr.museums.cn

886。姓名: 耿食兵

住址（大学）：山西省忻州市五寨县恩咚大学不焯路 866 号（邮政编码: 608906）。联系电话: 31798011。电子邮箱: vypas@jfeipusz.edu.cn

Zhù zhǐ: Gěng Sì Bīng Shānxī Shěng Xīnzhōu Shì Wǔ Zhài Xiàn Ēn Dōng DàxuéBù Zhuō Lù 866 Hào (Yóuzhèng Biānmǎ: 608906). Liánxì Diànhuà: 31798011. Diànzǐ Yóuxiāng: vypas@jfeipusz.edu.cn

Si Bing Geng, En Dong University, 866 Bu Zhuo Road, Wuzhai County, Xinzhou, Shanxi. Postal Code: 608906. Phone Number: 31798011. E-mail: vypas@jfeipusz.edu.cn

887。姓名: 燕易友

住址（湖泊）：山西省忻州市静乐县陆民路 395 号楚国湖（邮政编码：784205）。联系电话：86832347。电子邮箱：vbnfq@eotqbfis.lakes.cn

Zhù zhǐ: Yān Yì Yǒu Shānxī Shěng Xīnzhōu Shì Jìng Lè Xiàn Lù Mín Lù 395 Hào Chǔ Guó Hú (Yóuzhèng Biānmǎ：784205). Liánxì Diànhuà：86832347. Diànzǐ Yóuxiāng：vbnfq@eotqbfis.lakes.cn

Yi You Yan, Chu Guo Lake, 395 Lu Min Road, Jingle County, Xinzhou, Shanxi. Postal Code: 784205. Phone Number：86832347. E-mail：vbnfq@eotqbfis.lakes.cn

888。姓名: 逯坤庆

住址（广场）：山西省吕梁市岚县近甫路 888 号谢译广场（邮政编码：865888）。联系电话：41464023。电子邮箱：hziut@qitcrmhy.squares.cn

Zhù zhǐ: Lù Kūn Qìng Shānxī Shěng Lǚliáng Shì Lán Xiàn Jìn Fǔ Lù 888 Hào Xiè Yì Guǎng Chǎng (Yóuzhèng Biānmǎ：865888). Liánxì Diànhuà：41464023. Diànzǐ Yóuxiāng：hziut@qitcrmhy.squares.cn

Kun Qing Lu, Xie Yi Square, 888 Jin Fu Road, Lan County, Luliang, Shanxi. Postal Code: 865888. Phone Number：41464023. E-mail：hziut@qitcrmhy.squares.cn

889。姓名: 庄谢岐

住址（公共汽车站）：山西省晋中市寿阳县彬铭路 805 号际石站（邮政编码：759937）。联系电话：79438128。电子邮箱：oriyb@tenxovdq.transport.cn

Zhù zhǐ: Zhuāng Xiè Qí Shānxī Shěng Jìn Zhōng Shì Shòu Yáng Xiàn Bīn Míng Lù 805 Hào Jì Dàn Zhàn (Yóuzhèng Biānmǎ：759937). Liánxì Diànhuà：79438128. Diànzǐ Yóuxiāng：oriyb@tenxovdq.transport.cn

Xie Qi Zhuang, Ji Dan Bus Station, 805 Bin Ming Road, Shouyang County, Jinzhong, Shanxi. Postal Code: 759937. Phone Number：79438128. E-mail：oriyb@tenxovdq.transport.cn

890。姓名: 贲乐淹

住址（博物院）：山西省晋城市泽州县恩禹路 422 号晋城博物馆（邮政编码：374768）。联系电话：81232875。电子邮箱：mbjwi@rmucfojz.museums.cn

Zhù zhǐ: Bēn Lè Yān Shānxī Shěng Jìnchéng Shì Zé Zhōu Xiàn Ēn Yǔ Lù 422 Hào Jncéng Bó Wù Guǎn （Yóuzhèng Biānmǎ：374768). Liánxì Diànhuà：81232875. Diànzǐ Yóuxiāng：mbjwi@rmucfojz.museums.cn

Le Yan Ben, Jincheng Museum, 422 En Yu Road, Zezhou County, Jincheng, Shanxi. Postal Code: 374768. Phone Number：81232875. E-mail：mbjwi@rmucfojz.museums.cn

891。姓名: 顾不祥

住址（广场）：山西省朔州市右玉县化其路 129 号禹珂广场（邮政编码：441977）。联系电话：29269459。电子邮箱：xnjis@rcwpajhd.squares.cn

Zhù zhǐ: Gù Bù Xiáng Shānxī Shěng Shuò Zhōu Shì Yòu Yù Xiàn Huā Qí Lù 129 Hào Yǔ Kē Guǎng Chǎng （Yóuzhèng Biānmǎ：441977). Liánxì Diànhuà：29269459. Diànzǐ Yóuxiāng：xnjis@rcwpajhd.squares.cn

Bu Xiang Gu, Yu Ke Square, 129 Hua Qi Road, Youyu County, Shuozhou, Shanxi. Postal Code: 441977. Phone Number：29269459. E-mail：xnjis@rcwpajhd.squares.cn

892。姓名: 秦刚盛

住址（火车站）：山西省太原市迎泽区恩可路 590 号太原站（邮政编码：304368）。联系电话：58807538。电子邮箱：xubkv@zbcwodyp.chr.cn

Zhù zhǐ: Qín Gāng Shèng Shānxī Shěng Tàiyuán Shì Yíng Zé Qū Ēn Kě Lù 590 Hào Tàiyuán Zhàn （Yóuzhèng Biānmǎ：304368). Liánxì Diànhuà：58807538. Diànzǐ Yóuxiāng：xubkv@zbcwodyp.chr.cn

Gang Sheng Qin, Taiyuan Railway Station, 590 En Ke Road, Yingze District, Taiyuan, Shanxi. Postal Code: 304368. Phone Number：58807538. E-mail：xubkv@zbcwodyp.chr.cn

893。姓名：商成启

住址（酒店）：山西省吕梁市汾阳市翰龙路 130 号彬俊酒店（邮政编码：280093）。联系电话：16513805。电子邮箱：jbmwf@sgbzuovt.biz.cn

Zhù zhǐ: Shāng Chéng Qǐ Shānxī Shěng Lǚliáng Shì Fén Yáng Shì Hàn Lóng Lù 130 Hào Bīn Jùn Jiǔ Diàn（Yóuzhèng Biānmǎ：280093). Liánxì Diànhuà：16513805. Diànzǐ Yóuxiāng：jbmwf@sgbzuovt.biz.cn

Cheng Qi Shang, Bin Jun Hotel, 130 Han Long Road, Fenyang City, Luliang, Shanxi. Postal Code: 280093. Phone Number：16513805. E-mail：jbmwf@sgbzuovt.biz.cn

894。姓名：微岐仓

住址（广场）：山西省吕梁市临县恩成路 946 号陆豹广场（邮政编码：729949）。联系电话：90656940。电子邮箱：ytpxc@kmtorcbv.squares.cn

Zhù zhǐ: Wēi Qí Cāng Shānxī Shěng Lǚliáng Shì Lín Xiàn Ēn Chéng Lù 946 Hào Liù Bào Guǎng Chǎng（Yóuzhèng Biānmǎ：729949). Liánxì Diànhuà：90656940. Diànzǐ Yóuxiāng：ytpxc@kmtorcbv.squares.cn

Qi Cang Wei, Liu Bao Square, 946 En Cheng Road, Lin County, Luliang, Shanxi. Postal Code: 729949. Phone Number：90656940. E-mail：ytpxc@kmtorcbv.squares.cn

895。姓名：乔领珂

住址（大学）：山西省临汾市安泽县译领大学沛沛路 525 号（邮政编码：469511）。联系电话：55879137。电子邮箱：sknob@qoiaerfz.edu.cn

Zhù zhǐ: Qiáo Lǐng Kē Shānxī Shěng Línfén Shì Ān Zé Xiàn Yì Lǐng DàxuéBèi Pèi Lù 525 Hào（Yóuzhèng Biānmǎ：469511). Liánxì Diànhuà：55879137. Diànzǐ Yóuxiāng：sknob@qoiaerfz.edu.cn

Ling Ke Qiao, Yi Ling University, 525 Bei Pei Road, Anze County, Linfen, Shanxi. Postal Code: 469511. Phone Number：55879137. E-mail：sknob@qoiaerfz.edu.cn

896。姓名: 司空亮葆

住址（家庭）：山西省运城市永济市仓刚路 135 号盛食公寓 4 层 979 室（邮政编码：356809）。联系电话：88565872。电子邮箱：clwbh@niwocvzs.cn

Zhù zhǐ: Sīkōng Liàng Bǎo Shānxī Shěng Yùn Chéng Shì Yǒng Jì Shì Cāng Gāng Lù 135 Hào Chéng Yì Gōng Yù 4 Céng 979 Shì (Yóuzhèng Biānmǎ：356809). Liánxì Diànhuà：88565872. Diànzǐ Yóuxiāng：clwbh@niwocvzs.cn

Liang Bao Sikong, Room# 979, Floor# 4, Cheng Yi Apartment, 135 Cang Gang Road, Yongji City, Yuncheng, Shanxi. Postal Code: 356809. Phone Number：88565872. E-mail：clwbh@niwocvzs.cn

897。姓名: 佟隆源

住址（公园）：山西省长治市沁源县己光路 881 号辉维公园（邮政编码：210086）。联系电话：60382571。电子邮箱：dosrb@vtoeqcug.parks.cn

Zhù zhǐ: Tóng Lóng Yuán Shānxī Shěng Chángzhì Shì Qìn Yuán Xiàn Jǐ Guāng Lù 881 Hào Huī Wéi Gōng Yuán (Yóuzhèng Biānmǎ：210086). Liánxì Diànhuà：60382571. Diànzǐ Yóuxiāng：dosrb@vtoeqcug.parks.cn

Long Yuan Tong, Hui Wei Park, 881 Ji Guang Road, Qinyuan County, Changzhi, Shanxi. Postal Code: 210086. Phone Number：60382571. E-mail：dosrb@vtoeqcug.parks.cn

898。姓名: 鲍征熔

住址（家庭）：山西省运城市绛县葆大路 939 号淹翰公寓 18 层 945 室（邮政编码：608169）。联系电话：32503386。电子邮箱：ewpsg@hwneogxu.cn

Zhù zhǐ: Bào Zhēng Róng Shānxī Shěng Yùn Chéng Shì Jiàng Xiàn Bǎo Dà Lù 939 Hào Yān Hàn Gōng Yù 18 Céng 945 Shì (Yóuzhèng Biānmǎ：608169). Liánxì Diànhuà：32503386. Diànzǐ Yóuxiāng：ewpsg@hwneogxu.cn

Zheng Rong Bao, Room# 945, Floor# 18, Yan Han Apartment, 939 Bao Da Road, Jiang County, Yuncheng, Shanxi. Postal Code: 608169. Phone Number：32503386. E-mail：ewpsg@hwneogxu.cn

899。姓名: 郏焯勇

住址（火车站）：山西省运城市永济市俊可路 409 号运城站（邮政编码：813925）。联系电话：90911480。电子邮箱：qwmrp@bigrlzjq.chr.cn

Zhù zhǐ: Jiá Chāo Yǒng Shānxī Shěng Yùn Chéng Shì Yǒng Jì Shì Jùn Kě Lù 409 Hào Yùn Céng Zhàn (Yóuzhèng Biānmǎ：813925). Liánxì Diànhuà：90911480. Diànzǐ Yóuxiāng：qwmrp@bigrlzjq.chr.cn

Chao Yong Jia, Yuncheng Railway Station, 409 Jun Ke Road, Yongji City, Yuncheng, Shanxi. Postal Code: 813925. Phone Number：90911480. E-mail：qwmrp@bigrlzjq.chr.cn

900。姓名: 姜宝强

住址（公司）：山西省忻州市偏关县龙腾路 646 号舟中有限公司（邮政编码：748648）。联系电话：46398610。电子邮箱：zerwq@kdlcmyuj.biz.cn

Zhù zhǐ: Jiāng Bǎo Qiáng Shānxī Shěng Xīnzhōu Shì Piān Guān Xiàn Lóng Téng Lù 646 Hào Zhōu Zhòng Yǒuxiàn Gōngsī (Yóuzhèng Biānmǎ：748648). Liánxì Diànhuà：46398610. Diànzǐ Yóuxiāng：zerwq@kdlcmyuj.biz.cn

Bao Qiang Jiang, Zhou Zhong Corporation, 646 Long Teng Road, Pianguan County, Xinzhou, Shanxi. Postal Code: 748648. Phone Number：46398610. E-mail：zerwq@kdlcmyuj.biz.cn

Milton Keynes UK
Ingram Content Group UK Ltd.
UKHW050916260224
438492UK00013B/623

9 798887 557311